Servicios socioculturales y a la comunidad

Módulo profesional (Nivel 2 ECP)

Grado D

CFGM Atención a personas en situación de dependencia

Grado C

CP Atención sociosanitaria a personas en situación de dependencia en instituciones sociales

CP Atención sociosanitaria a personas en el domicilio

Atención sanitaria

ALTAMAR

Atención sanitaria

© 2025, Arturo Ortega Pérez

© 2025, Editorial Altamar, S.L.

ISBN: 978-84-19780-53-9
Depósito Legal: B 3025-2025

Diseño de cubierta:	**Oriol Miró Genovart**
Diseño de interiores:	**Toni Quesada**
Ilustración de cubierta:	**iStock.com/microgen**
Fotografías:	**Depositphotos, Medicare System, Fondo Altamar**
Composición:	**Cristina Payà Sanson**
Impreso en:	**Sagrafic, S.L.**

Impreso en España - *Printed in Spain*

Altamar, un proyecto integrado y versátil

Lee detenidamente las instrucciones de uso de este manual.

Libro impreso
+
Plataforma Digital Educativa
+
Asistente de Inteligencia Artificial

EN ESTE LIBRO

Itinerario Contenidos
istribuido en Unidades de Trabajo

Actividades
que se pueden completar digitalmente en el
Itinerario Actividades de la
Plataforma Digital Educativa

Conexión con las Tareas del
Itinerario por Retos colaborativos en la
Plataforma Digital Educativa

Recursos que se despliegan en el
Itinerario Multimedia de la
Plataforma Digital Educativa

Activa tu acceso a nuestra
PLATAFORMA DIGITAL EDUCATIVA

👩 **Kai**
Tu asistente virtual con Inteligencia Artificial

Itinerario Contenidos

Itinerario Multimedia

Itinerario por Retos

Solo accesible si te vinculas con tu docente acreditado por Altamar.

Itinerario Mapa

Itinerario Actividades

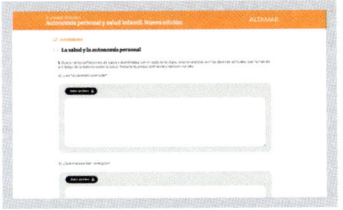

Solo accesible si te vinculas con tu docente acreditado por Altamar.

Itinerario Presentaciones

Solo accesible si te vinculas con tu docente acreditado por Altamar.

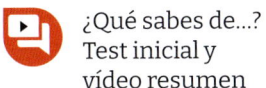 **¿Qué sabes de...?** Test inicial y vídeo resumen

 **Documento** adicional

 **Video o** animación

 **Enlace**

 **Destrezas de** pensamiento

Índice

Unidad de trabajo

1 El funcionamiento del organismo humano

¿Qué sabes de...?

- ¿Sabes cuáles son las tres funciones vitales de los seres vivos?
- ¿Sabes qué aparatos y sistemas consiguen que todas las células del organismo dispongan de oxígeno y nutrientes?
- ¿Sabes cómo el organismo humano capta lo que ocurre a su alrededor?
- ¿Sabes qué ocurre en el páncreas si se obstruye el conducto de salida de sus secreciones?
- ¿Sabes qué ocurre cuando se interrumpe la circulación en una parte del organismo?

 RETO 1
Anatomofisiología y patología de la deglución

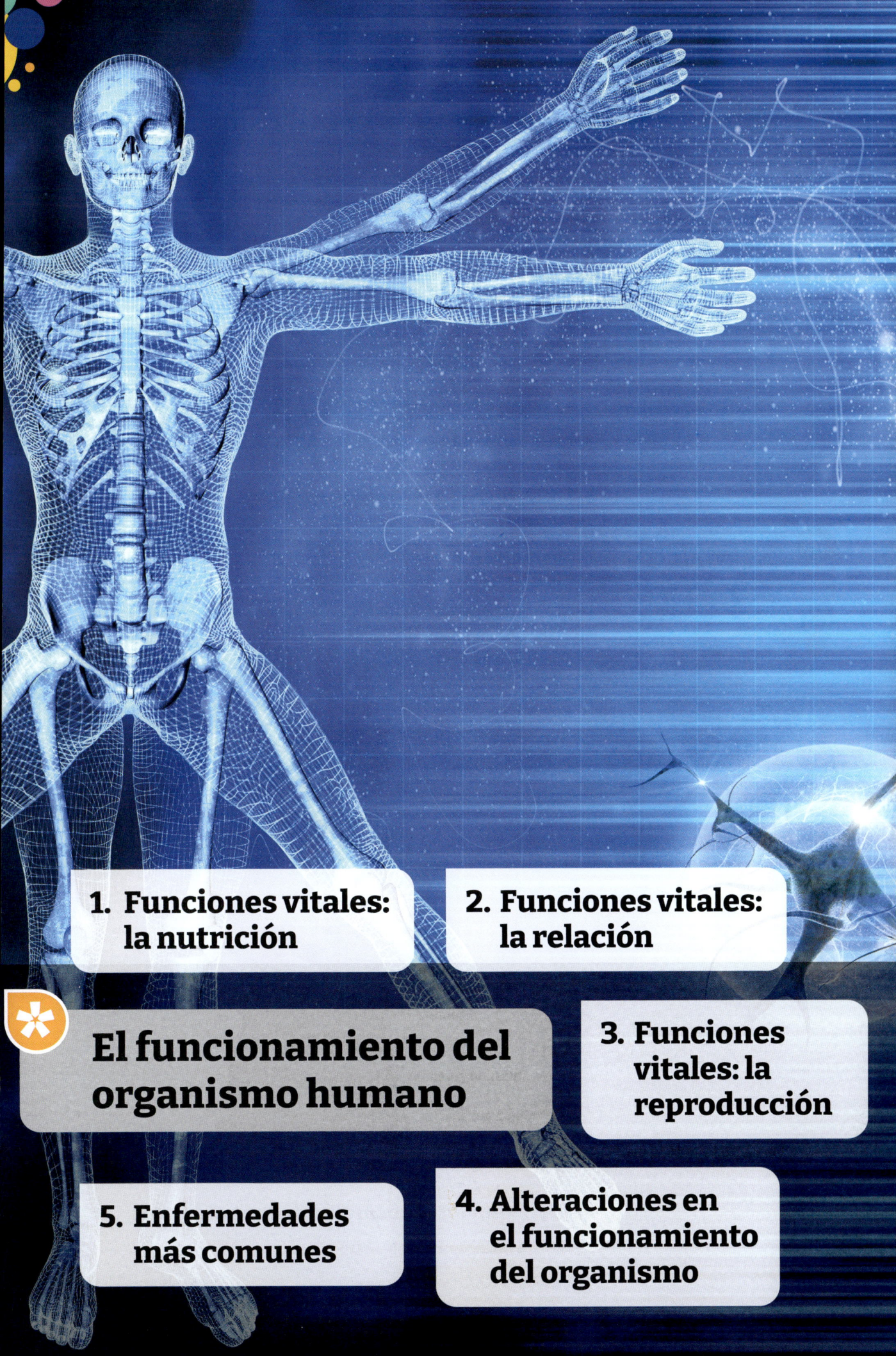

1. Funciones vitales: la nutrición

2. Funciones vitales: la relación

El funcionamiento del organismo humano

3. Funciones vitales: la reproducción

5. Enfermedades más comunes

4. Alteraciones en el funcionamiento del organismo

1.1. Funciones vitales: la nutrición

Todos los organismos vivos, incluido el organismo humano, tienen tres funciones vitales: *nutrición*, *relación* y *reproducción*.

● **Nutrición**. Permite al organismo captar del medio externo sustancias necesarias para su funcionamiento y expulsar los productos de desecho.

● **Relación**. Consiste en percibir lo que ocurre en el medio externo y ser capaz de responder a ello.

● **Reproducción**. Es la función de los seres vivos que les permite crear otros seres semejantes a ellos.

En este apartado estudiaremos la nutrición y en los siguientes, la relación y la reproducción. La nutrición incluye diversas funciones fisiológicas: *digestión*, *respiración*, *circulación* y *excreción*.

1.1.1. Aparato digestivo

El aparato digestivo permite tomar alimentos y descomponerlos para obtener los nutrientes que contienen, que son absorbidos para que el organismo pueda utilizarlos. Los materiales residuales se eliminan en forma de heces.

El aparato digestivo es un tubo que va desde la boca hasta el ano, en el cual se distinguen distintas zonas especializadas: faringe, esófago, estómago, intestino delgado, intestino grueso y recto. Forman también parte de él varias glándulas que vierten sus secreciones en distintos segmentos del tubo: glándulas salivales, hígado y páncreas.

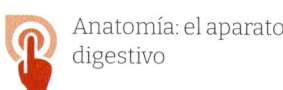

El aparato digestivo: la captación de nutrientes

Anatomía: el aparato digestivo

Tarea 1
Ampliad vuestra información sobre la deglución

Tarea 2
La deglución, una fase del proceso digestivo

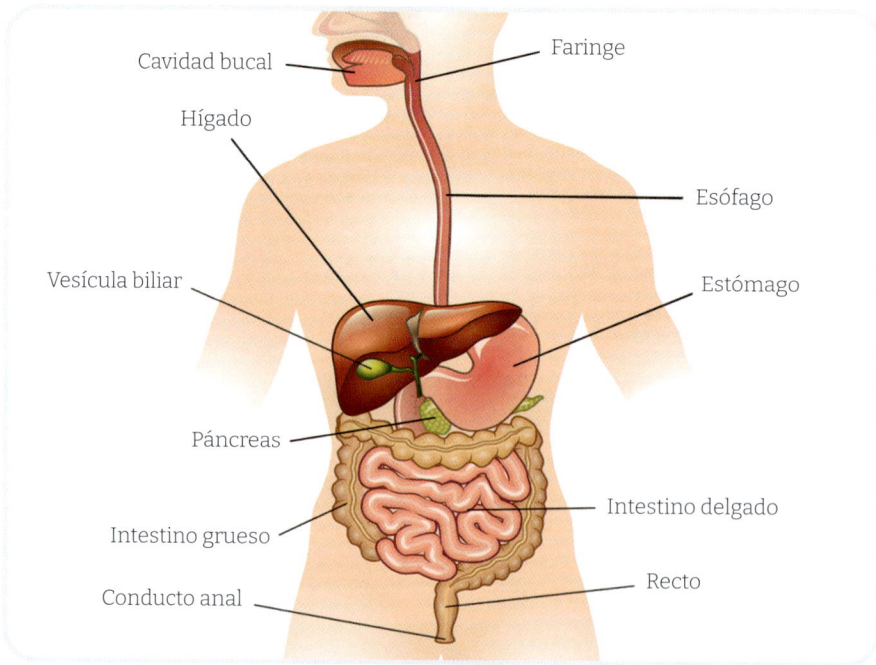

Fig. 1.1. Aparato digestivo.

>> La obtención y absorción de los nutrientes

El proceso de digestión consta de varias fases:

1. **Fase oral**. Los alimentos se ingieren y en la boca se mastican e insalivan para formar el bolo alimenticio. El bolo se deglute y pasa al esófago.

 La digestión

2. **Fase esofágica**. El esófago impulsa el bolo hacia el estómago, gracias a movimientos peristálticos de su musculatura.

3. **Fase gástrica**. El bolo entra en el estómago, donde es sometido a la acción de los jugos gástricos. La musculatura del estómago hace que el contenido se agite y mezcle.

   El jugo gástrico contiene diversos enzimas, que rompen biomoléculas de los alimentos. También contiene cloruro de hidrógeno (HCl), que proporciona un pH adecuado para que los enzimas digestivos se activen.

4. **Fase intestinal**. En la primera sección del intestino delgado (duodeno) desembocan los conductos procedentes de la vesícula biliar y del páncreas. La bilis y las secreciones pancreáticas contienen enzimas que completan la digestión.

   En los segmentos posteriores se realiza la absorción de nutrientes, que atraviesan la pared del intestino y pasan a la sangre. Los materiales no digeribles siguen su recorrido. El avance del contenido del intestino se consigue gracias a movimientos de la musculatura de la pared intestinal.

5. **Fase colónica**. En el colon se produce una reabsorción de agua. El material restante forma las heces.

❯❯ La defecación

La parte final del colon es el recto, que acaba en el ano. Las sustancias de desecho se almacenan en el recto, cuya pared tiene la capacidad de distenderse. Cuando hay una cierta cantidad de sustancias almacenadas en él, se estimula la necesidad de defecar.

1.1.2. Aparato respiratorio

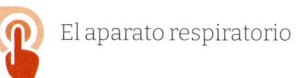 El aparato respiratorio: la captación de oxígeno

La función del aparato respiratorio es proporcionar el oxígeno necesario al organismo y retirar de él el dióxido de carbono que producen las células.

El aparato respiratorio consta de una serie de conductos por los que circula el aire, que denominamos *vías aéreas*, y una zona de intercambio de gases o *superficie alveolar*. Parte de estas vías forman dos órganos claramente identificables: los pulmones.

El aparato respiratorio

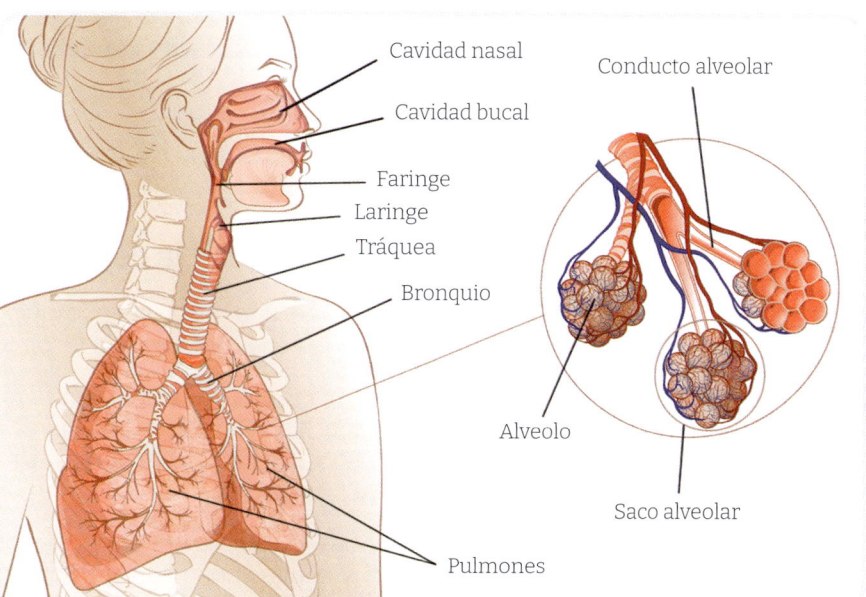

Fig. 1.2. El aparato respiratorio.

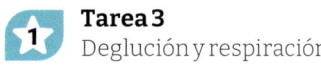

Tarea 3
Deglución y respiración

>> Las vías aéreas

Las vías aéreas se dividen en dos zonas:

- **Vías aéreas superiores o altas**: fosas nasales, faringe y laringe. Son conductos por los que circula el aire, con una estructura capaz de retener y expulsar partículas extrañas que se hayan inspirado junto con el aire.

- **Vías aéreas inferiores o bajas**: tráquea y bronquios. La pared de la tráquea contiene cartílagos en forma de C, que impiden que colapse. En su extremo distal se bifurca en dos bronquios (uno por cada pulmón), que se van ramificando en conductos cada vez más pequeños.

>> La superficie alveolar

Cada uno de los conductos más pequeños en que se ramifican los bronquios acaba en un conducto alveolar, que desemboca en un saco alveolar, formado por varios alveolos.

Los alveolos son pequeñas cavidades delimitadas por células muy planas, rodeadas por capilares. El aire inspirado llega hasta ellos y se produce el intercambio de gases: el oxígeno atraviesa la pared del alveolo y pasa a la sangre del capilar, mientras que el dióxido de carbono pasa de la sangre a la luz del alveolo para ser eliminado con el aire espirado.

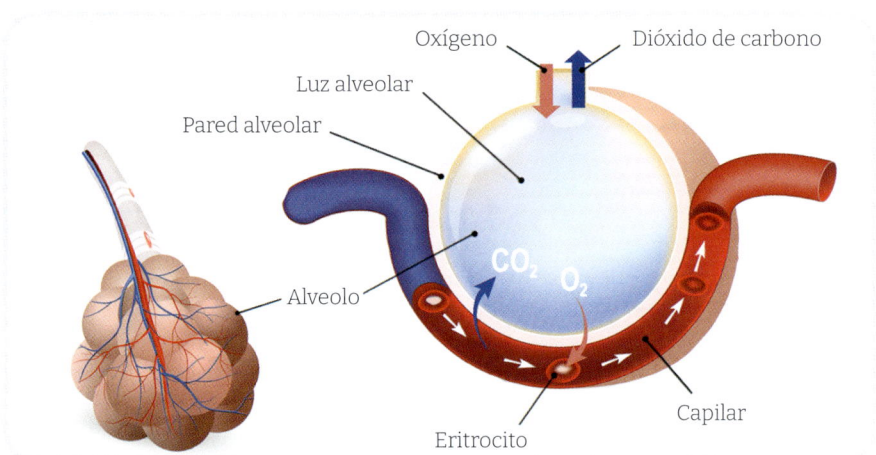

Fig. 1.3. El intercambio de gases tiene lugar en los alveolos.

¡Tenlo en cuenta!

Las redes de conductos en que se ramifican los bronquios y todos los alveolos y sacos alveolares en que acaban estas redes constituyen dos órganos definidos: los pulmones.

>> La inspiración y la espiración

La ventilación

La respiración

El movimiento del aire hacia y desde los pulmones se consigue mediante la ventilación, que tiene dos fases: la inspiración y la espiración.

La inspiración se consigue por la contracción de los músculos respiratorios, principalmente del diafragma. La espiración, en cambio, se produce de forma pasiva: el diafragma y el resto de los músculos respiratorios se relajan y los pulmones se vacían.

Para evitar que los pulmones sufran fricciones durante los movimientos de inspiración y espiración, están recubiertos por la pleura. La pleura es una doble membrana, que contiene líquido pleural entre sus dos láminas.

1.1.3. **Aparato cardiovascular**

El aparato
cardiovascular: el
transporte de sustancias

El aparato cardiovascular está compuesto por el *corazón*, el *sistema vascular* y la *sangre*. En él, los vasos sanguíneos funcionan como tuberías por las que circula la sangre, y el corazón como una bomba que impulsa la sangre para que se mantenga en circulación.

Existen dos circuitos de circulación:

Circulación mayor y
circulación menor

- **Circulación menor**. La sangre procedente del organismo es impulsada por el corazón hacia las arterias pulmonares, que la conducen hacia los pulmones. En ellos, la sangre libera dióxido de carbono y capta oxígeno. Seguidamente, las venas pulmonares la conducen nuevamente hacia el corazón.

Tarea 4
El transporte
de sustancias

- **Circulación mayor**. La sangre procedente de los pulmones llega al corazón y es impulsada por la arteria aorta para que se distribuya por el organismo. Durante esta circulación, se va ramificando para proporcionar oxígeno a todas las células y captar el dióxido de carbono que estas liberan. Finalmente, las ramificaciones van confluyendo hasta formar las venas cava, que llegan al corazón con sangre cargada de dióxido de carbono.

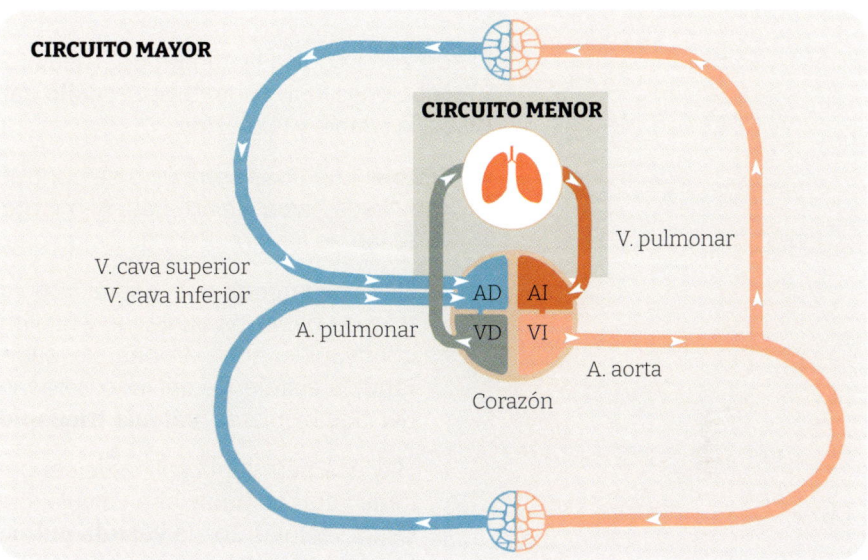

Fig. 1.4. Circuito mayor y circuito menor.

La sangre de estos circuitos no se puede mezclar en el corazón, ya que ello supondría mezclar sangre oxigenada con sangre que aún no lo está. Esto determina la anatomía del corazón, con dos mitades (derecha e izquierda) que no tienen conexiones entre ellas.

❯❯ **El corazón**

El corazón

El corazón es un órgano que se contrae y se relaja alternativamente para impulsar la sangre. Está formado por una gruesa *pared* que delimita cuatro *cavidades* interiores.

- La **pared** tiene una capa muscular central, el miocardio, y dos membranas que la recubren, una externa (pericardio) y otra interna (endocardio).

- Las **cavidades** son dos **aurículas** en la zona craneal y dos **ventrículos** en la zona caudal.

  - En la zona derecha del corazón: la sangre entra en la aurícula derecha procedente de las venas cava, pasa al ventrículo derecho y sale por las arterias pulmonares.

Funcionamiento
del corazón

- En la zona izquierda del corazón: la sangre procedente de las venas pulmonares entra en la aurícula izquierda, pasa al ventrículo izquierdo y sale por la arteria aorta.

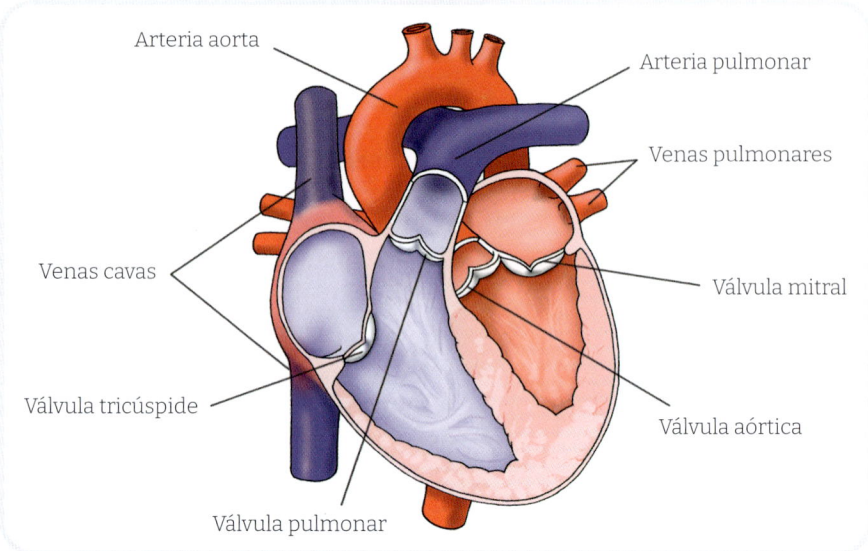

Fig. 1.5. El corazón.

El corazón impulsa la sangre por medio de una sucesión de contracciones y relajaciones, que constituyen el **ciclo cardiaco**. El ciclo cardiaco tiene dos fases: la *sístole* y la *diástole*.

- **Sístole**. Los dos ventrículos se contraen y la sangre que contienen sale impulsada hacia las arterias. Al mismo tiempo, las aurículas se relajan y se llenan de sangre. Para que esto sea posible:

  - Hay que impedir que, con el impulso, la sangre de los ventrículos retroceda hacia las aurículas y facilitar el llenado de las aurículas. Para conseguirlo, entre ambas cavidades hay válvulas que se cierran durante la sístole. La del lado derecho se denomina **válvula mitral** y la del lado izquierdo, **válvula tricúspide**.

  - Hay que permitir la salida de sangre de los ventrículos. A la salida de cada ventrículo hay una válvula, que se debe abrir durante la sístole. Estas válvulas son la **válvula pulmonar** en el lado derecho y la **válvula aórtica** en el izquierdo.

- **Diástole**. Las dos aurículas se contraen e impulsan la sangre que contienen hacia los ventrículos. Al mismo tiempo, los ventrículos se relajan y se llenan de sangre. Para que esto sea posible:

  - La **válvula mitral** y la **válvula tricúspide** se abren, permitiendo así el paso de la sangre desde las aurículas hacia los ventrículos.

  - La **válvula pulmonar** y la **válvula aórtica** se cierran, para que la sangre se acumule en los ventrículos y no pase directamente a las arterias.

›› Los vasos sanguíneos

Distinguimos tres tipos principales de vasos:

- Las **arterias** salen del corazón y se van ramificando. Estos vasos deben soportar la fuerza con que el corazón impulsa a la sangre, por lo que tienen unas paredes fuertes.

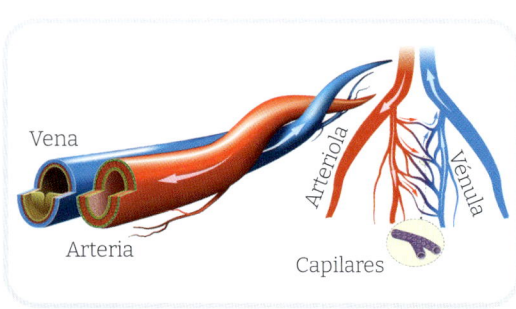

Fig. 1.6. Vasos sanguíneos.

Sistema circulatorio

- Las **venas** conducen sangre hacia el corazón. La presión en el interior de las venas es más baja que la que soportan las arterias, por lo que sus paredes son más delgadas. Para evitar que la sangre retroceda por efecto de la gravedad y de la falta de impulso, en el interior de las venas hay **válvulas semilunares**.

- Los **capilares** son vasos de calibre muy pequeño y paredes muy finas y permeables, en los que se realiza el intercambio de sustancias.

»» La sangre

La composición de la sangre

La sangre es un tejido líquido que circula por los vasos sanguíneos. Es el medio de transporte y distribución de gases, nutrientes y sustancias de desecho. También transporta otras sustancias esenciales para el organismo, como células y moléculas del sistema inmunitario y hormonas.

1.1.4. Aparato urinario

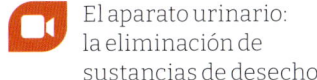
El aparato urinario: la eliminación de sustancias de desecho

La volemia

Las células vierten a la sangre las sustancias de desecho resultantes del uso de los nutrientes. El aparato urinario filtra la sangre y la libera de estas sustancias. Además, participa activamente en el mantenimiento de la volemia (volumen de sangre circulante). El aparato urinario está formado por los *riñones* y las *vías urinarias*.

»» Los riñones

El riñón

Cada riñón recibe sangre de una arteria renal, que se va ramificando sucesivamente. Las ramificaciones más pequeñas acaban en un ovillo capilar denominado glomérulo renal. Cada glomérulo está rodeado por una cápsula de Bowman, y el conjunto de estas estructuras se denomina **corpúsculo renal o de Malpighi**.

Algunas sustancias que circulan por los capilares se filtran hacia la cápsula de Bowman y, seguidamente pasan a una serie de conductos que están conectados con ella: el **sistema tubular**.

El sistema tubular está formado por tres secciones (túbulo contorneado proximal, asa de Henle y túbulo contorneado distal) y está rodeado de una densa red capilar, la **red capilar peritubular**.

Fig. 1.7. Estructura de los riñones.

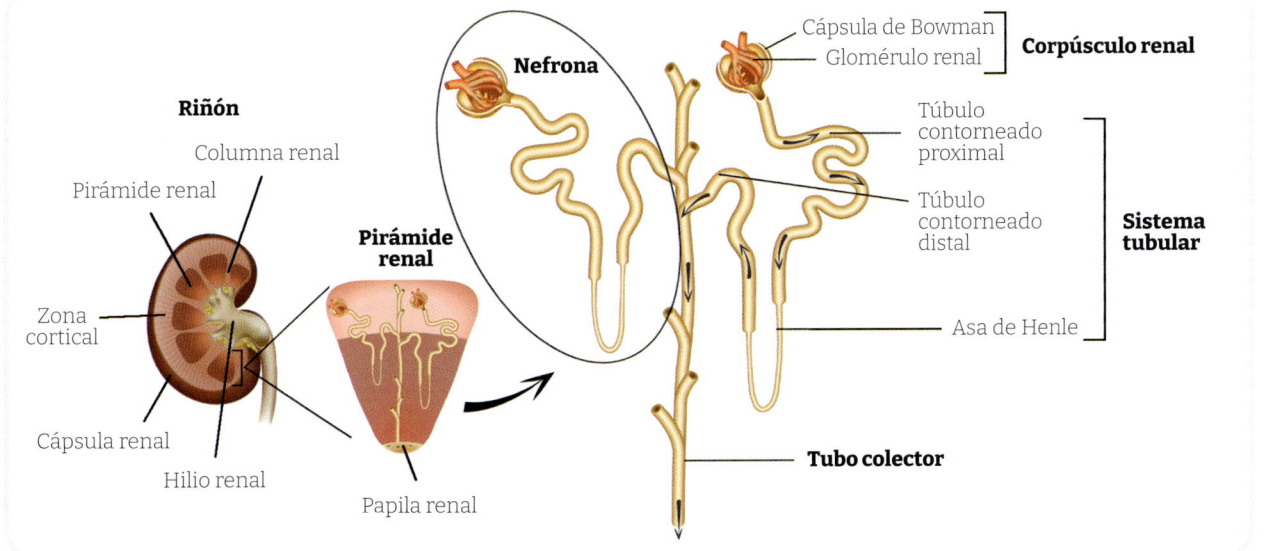

¡Tenlo en cuenta!

La estructura anatómica formada por el corpúsculo renal y la red tubular se denomina nefrona. Cada riñón está constituido por más de un millón de nefronas.

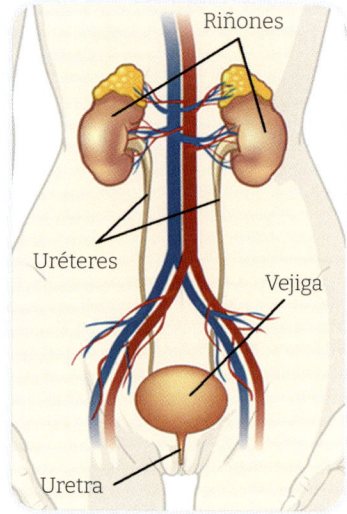

Fig. 1.8. Los riñones y las vías urinarias.

El filtrado que circula por el sistema tubular sufre dos tipos de procesos:

● **Reabsorción**. Algunas sustancias que se han filtrado en el glomérulo, pero que el organismo necesita, atraviesan la pared del tubo y pasan a la red capilar peritubular (regresan a la sangre).

● **Secreción**. Algunas sustancias que se deben retirar de la sangre pero que no se han filtrado en el glomérulo se secretan de forma activa desde los capilares hacia la red tubular (se retiran de la sangre).

El líquido que llega al final del túbulo contorneado distal es la **orina**, que tras circular por varios conductos alcanza una zona denominada **pelvis renal**, desde donde abandona el riñón a través del uréter.

» Las vías urinarias

Están formadas por:

● Los **uréteres**, que son los conductos que llevan la orina desde cada riñón hasta la vejiga.

● La **vejiga**, que almacena la orina hasta el momento de la micción.

● La **uretra**, que conduce la orina desde la vejiga hasta el exterior. La zona de salida se denomina **meato urinario**.

» La micción

La micción es el proceso mediante el cual la vejiga urinaria se vacía de orina cuando está llena. Cuando la vejiga se llena de orina procedente de los uréteres, la distensión de su pared produce un deseo consciente de orinar, que la persona satisface de forman voluntaria.

🧪 Actividades

 Mapa mental   Infografía   Diagrama de flujo

1. Elabora un **mapa mental** que muestre cómo una célula del organismo humano satisface sus necesidades de nutrición. Detalla de dónde proceden los nutrientes y el oxígeno que necesita y cómo llegan hasta ella.

2. En un **diagrama de flujo**, identifica las transformaciones que sufre el alimento en cada fase digestiva, desde que entra en la boca hasta que sale por el ano en forma de heces.

3. Elabora una **infografía** que muestre cómo llega el oxígeno inspirado hasta la sangre.

4. Dibuja en tu cuaderno un esquema del corazón, que incluya sus cuatro cavidades y los grandes vasos que salen de él o llegan a él.
    - Escribe el nombre de las cavidades, de los vasos y de las válvulas.
    - Marca con flechas el sentido de la circulación de la sangre dentro de este órgano.

5. Un eritrocito entra en el corazón por la aurícula derecha. Elabora un **diagrama de flujo** que muestre su recorrido hasta volver de nuevo a la aurícula derecha y lo que ocurrirá con su carga de oxígeno en dicho recorrido.

6. Responde a las preguntas siguientes respecto el ciclo cardiaco:
    - **a)** Durante la sístole, ¿cómo actúa la musculatura de los ventrículos?
    - **b)** ¿Las aurículas se contraen en la sístole o en la diástole?
    - **c)** ¿Qué ocurriría si la válvula mitral permaneciera abierta durante todo el ciclo cardiaco?
    - **d)** ¿Qué vasos sanguíneos reciben sangre cuando los ventrículos se contraen?

1.2. Funciones vitales: la relación

La relación consiste en la captación de estímulos procedentes del medio externo, la elaboración de una respuesta y su ejecución. Los estímulos pueden ser muy diversos: comida, calor, oscuridad, una caricia, la textura de un tejido, la presencia de un obstáculo en el camino, etc.

Fig. 1.9. Esquema que muestra el mecanismo básico de la función de relación.

La percepción de los estímulos y la elaboración de la respuesta son funciones del *sistema nervioso*, mientras que esta la pueden ejecutar los músculos, que forman parte del *aparato locomotor*, o las *glándulas*.

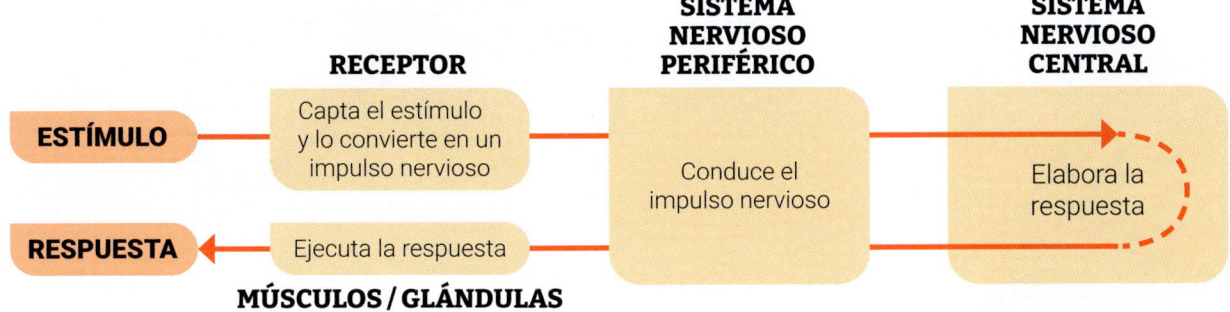

1.2.1. El sistema nervioso

El sistema nervioso

El sistema nervioso está formado por una red de células especializadas en la transmisión del impulso nervioso que perciben, transmiten y procesan información sobre el entorno (estímulos externos) y que generan y transmiten una respuesta adecuada a cada situación. Además, el sistema nervioso también recibe información del propio organismo (estímulos internos) y responde mediante el mismo procedimiento.

›› La percepción de estímulos externos

Los estímulos externos los capta y procesa el sistema nervioso mediante receptores especializados. La visión, el oído, el olfato, el gusto y el tacto son los sentidos que captan los estímulos externos.

● **Visión**. Los órganos de la vista son los ojos, unos órganos complejos que captan información lumínica del entorno y la conducen hasta unos **fotorreceptores** que tienen en su zona posterior. Los fotorreceptores convierten las señales lumínicas que reciben en impulsos nerviosos y los transmiten a los nervios ópticos.

Anatomía del ojo humano

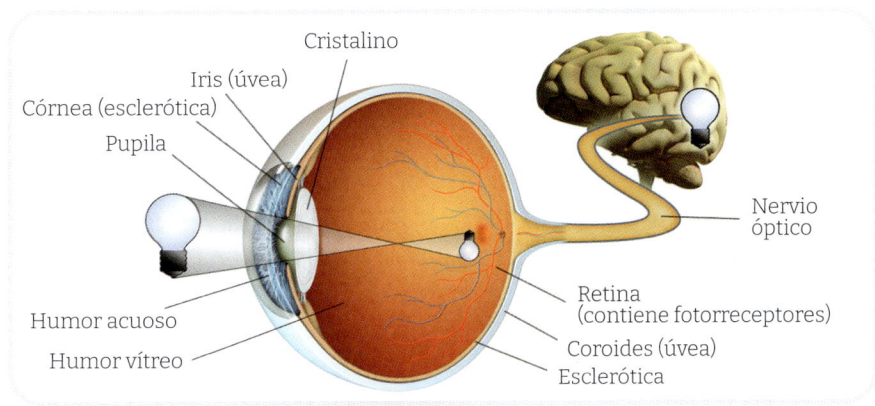

Fig. 1.10. Estructura del globo ocular.

Anatomía del oído y transmisión del sonido

● **Oído**. Los órganos son los oídos, que también disponen de receptores en su zona posterior. En este caso los estímulos son ondas sonoras, que se captan gracias a los pabellones auditivos y que se transmiten de unas estructuras a otras dentro del oído hasta llegar a los **receptores acústicos**. Los receptores acústicos convierten las ondas sonoras en impulsos nerviosos y los transmiten a los nervios auditivos.

Fig. 1.11. Estructura del oído.

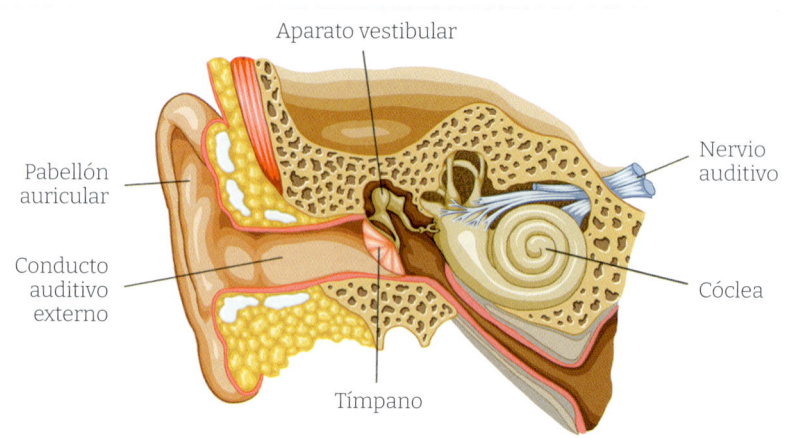

Fig. 1.12. Estructuras anatómicas que intervienen en la olfacción.

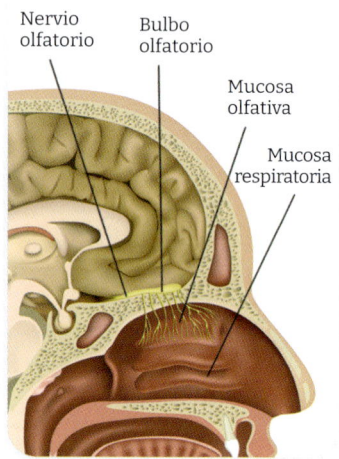

● **Olfato**. El órgano es la nariz, que tiene **receptores olfativos** en su zona más craneal. Los estímulos en esta ocasión son químicos y los receptores están especializados en captarlos y convertirlos en impulsos nerviosos. Todos los receptores están conectados con el bulbo olfatorio, desde el cual sale el nervio olfatorio.

● **Gusto**. La lengua es el órgano que permite percibir los gustos, gracias a los **receptores gustativos** que contiene. Estos receptores captan estímulos químicos y los convierten en impulsos nerviosos. En este caso intervienen varios nervios para la transmisión de los impulsos generados.

Fig. 1.13. Papilas y botones gustativos.

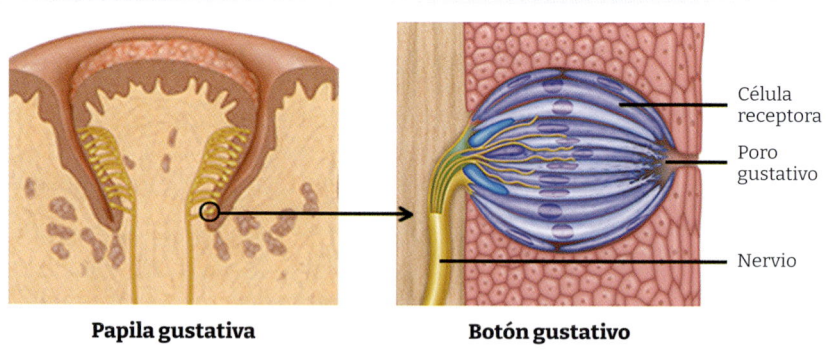

Papila gustativa **Botón gustativo**

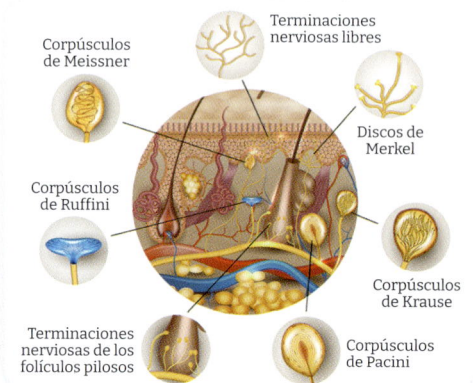

● **Tacto**. Los receptores táctiles se encuentran distribuidos por la piel y las mucosas de todo el organismo. Existe una amplia variedad de receptores táctiles para captar distintos tipos de estímulos: temperatura, presión, textura, dolor, vibraciones, etc.

En todos los casos el funcionamiento básico es el mismo que aplican el resto de receptores sensitivos: captan el estímulo en que están especializados, lo convierten en un impulso nervioso y lo envían hacia el sistema nervioso central.

Fig. 1.14. Principales receptores táctiles. Cada uno de ellos está especializado en captar un tipo distinto de estímulo.

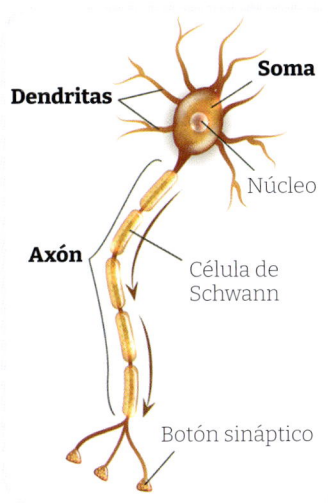

Fig. 1.15. Estructura de las neuronas.

Las neuronas

La transmisión de la información

Los receptores transmiten los impulsos nerviosos que generan por medio de los nervios. También la respuesta que se generará a continuación se transmitirá por los nervios hacia las estructuras que deban ejecutarla.

Los nervios son la principal estructura del **sistema nervioso periférico** (SNP), que es la parte del sistema nervioso especializada en la transmisión de impulsos. La otra parte, el **sistema nervioso central** (SNC), interpreta la información, la procesa y elabora las respuestas.

Las neuronas

Todo el sistema nervioso tiene un tipo celular especializado: las neuronas. Las neuronas están formadas por:

- **Cuerpo celular o soma**. Contiene el núcleo y la mayor parte de los orgánulos celulares.

- **Dendritas**. Son prolongaciones celulares cortas y ramificadas, que salen del cuerpo celular y que son el canal de entrada de los estímulos.

- **Axón**. Es una prolongación larga, que sale también del cuerpo celular. Transmite el impulso nervioso.

La transmisión del impulso de una neurona a otra se realiza mediante **neurotransmisores**, sin que haya contacto directo entre ambas neuronas. El impulso que ha llegado hasta el extremo del axón provoca la liberación de neurotransmisores en unas estructuras situadas en esta zona (botones sinápticos); las dendritas de la siguiente neurona captan estos neurotransmisores y vuelven a generar el impulso nervioso, que transmitirán hacia su axón.

Los nervios

Los nervios son conjuntos de haces de axones y/o dendritas, con varias cubiertas. Son estructuras especializadas en la transmisión de impulsos nerviosos.

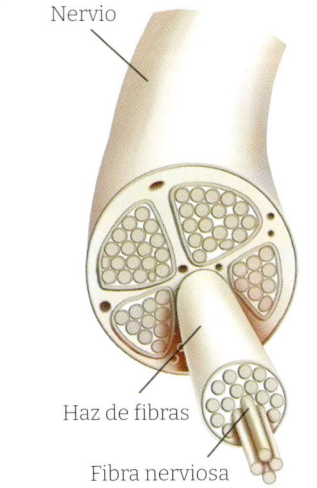

Fig. 1.16. Estructura de los nervios.

Las respuestas del sistema nervioso

La elaboración de la respuesta

Los impulsos generados por los receptores viajan por los nervios hasta el SNC, donde se procesarán.

El sistema nervioso central

El SNC es la parte del sistema nervioso que procesa la información interna y externa del organismo y genera las respuestas. Está compuesto por el *encéfalo* y la *médula espinal*:

- **Encéfalo**. Está protegido por el cráneo. Consta de tres partes:

  - **Cerebro**. Alberga las funciones mentales avanzadas y es donde se encuentran los centros y las áreas que se ocupan de los movimientos en general, las funciones viscerales, la percepción y el comportamiento, así como la integración de todas las funciones.

  - **Cerebelo**. Ayuda a integrar los movimientos voluntarios, procesando e interpretando datos que recibe de los ojos, de los oídos y del tacto. También mantiene el tono muscular y el equilibrio.

- **Tronco encefálico**. Transmite impulsos nerviosos y controla varias funciones involuntarias importantes, como la respiración, el ritmo cardiaco, etc. Desde él salen 12 nervios, que se dirigen hacia la zona facial.

- **Médula espinal**. Nace en el tronco encefálico y transcurre por el interior de la columna vertebral. De ella salen y llegan los nervios raquídeos o espinales.

  Contiene centros nerviosos capaces de generar respuestas muy sencillas (actos reflejos), que se producen de manera automática ante un estímulo externo que el organismo interpreta como peligroso. Por ejemplo, apartar la mano si nos quemamos.

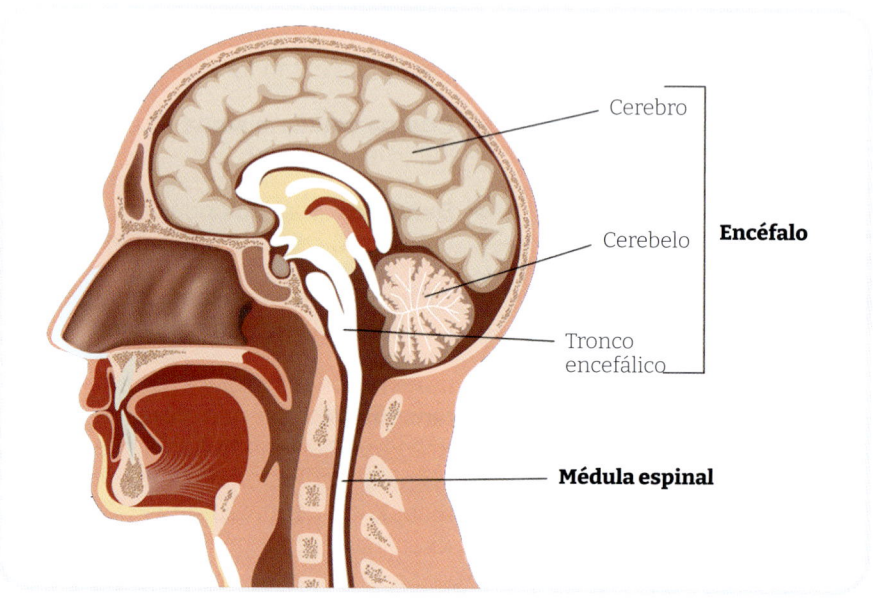

Fig. 1.17. Estructuras del sistema nervioso central.

Todas las estructuras del SNC están recubiertas por un conjunto de tres membranas (**membranas meníngeas**), entre las cuales hay líquido cefalorraquídeo (LCR).

1.2.2. El aparato locomotor

El SNC elabora la respuesta, y las órdenes se transmiten en forma de impulso nervioso hacia las estructuras que deben ejecutarlas. Entre dichas estructuras se cuentan los músculos, que forman parte del sistema locomotor.

Los músculos están formados por células que tienen la capacidad de contraerse. Existen tres tipos de músculos:

- **Músculos estriados esqueléticos**. Son de movimiento voluntario y forman parte del sistema locomotor.

- **Músculos estriados cardiacos**. Son de movimiento involuntario y forman el miocardio.

- **Músculos lisos**. Son de movimiento involuntario. Se encuentran principalmente en las paredes de los órganos huecos y en conductos, como el tubo digestivo o los vasos sanguíneos. Sus contracciones permiten funciones como la mezcla del contenido de una víscera (estómago) o su vaciado (vejiga urinaria) o el avance del contenido en un conducto (esófago). Estos músculos dan respuesta a estímulos internos.

La principal respuesta a los estímulos externos la proporciona el aparato locomotor, mediante la contracción de los músculos esqueléticos.

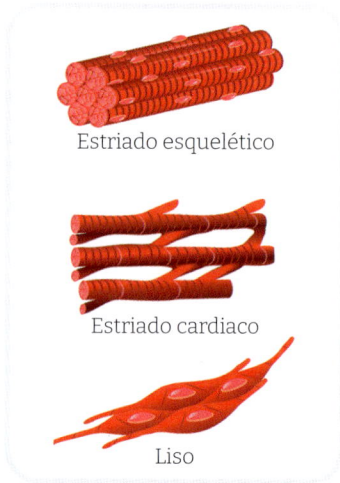

Estriado esquelético

Estriado cardiaco

Liso

Fig. 1.18. Tipos de músculos.

El aparato locomotor tiene varios componentes:

- **Huesos**, que en su conjunto forman el esqueleto. La unión entre dos huesos se denomina **articulación**. Hay articulaciones de distintos tipos, desde las que no permiten ningún movimiento, como las que hay entre los huesos del cráneo, hasta las que permiten movimientos amplios, como la de la rodilla. Para evitar que las articulaciones con movimiento se separen, existen unas cintas de tejido conjuntivo (**ligamentos**) que mantienen los huesos implicados unidos.

Estructura de los músculos

- **Músculos esqueléticos**. La membrana que recubre estos músculos forma en sus extremos una estructura denominada **tendón**, con la cual el músculo se inserta en un hueso. Cuando el músculo se contrae, arrastra consigo los huesos en que está insertado, lo que se traduce en un movimiento del cuerpo.

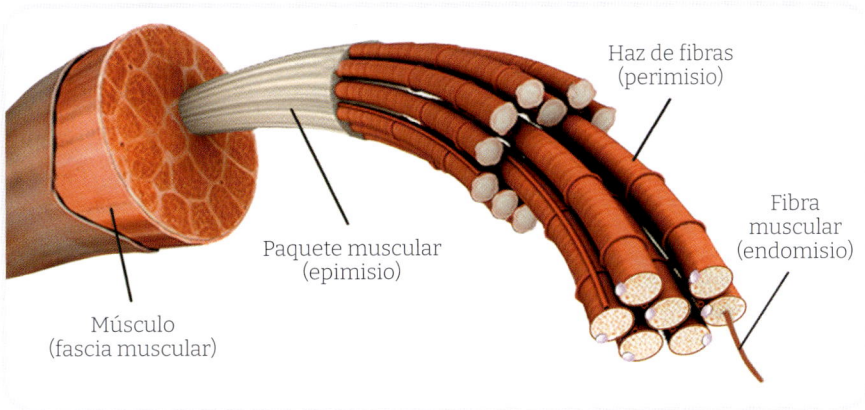

Fig. 1.19. Estructura de los músculos.

1.2.3. Las glándulas

La ejecución de la repuesta también se puede producir por medio de las glándulas. Las glándulas son estructuras anatómicas especializadas en secretar sustancias. Las hay de distintos tipos, y podemos encontrar desde glándulas unicelulares (como las células caliciformes de los conductos respiratorios) hasta glándulas de gran tamaño (como el páncreas o las glándulas parótidas). Pero la clasificación más importante es la que diferencia entre *glándulas exocrinas* y *glándulas endocrinas*.

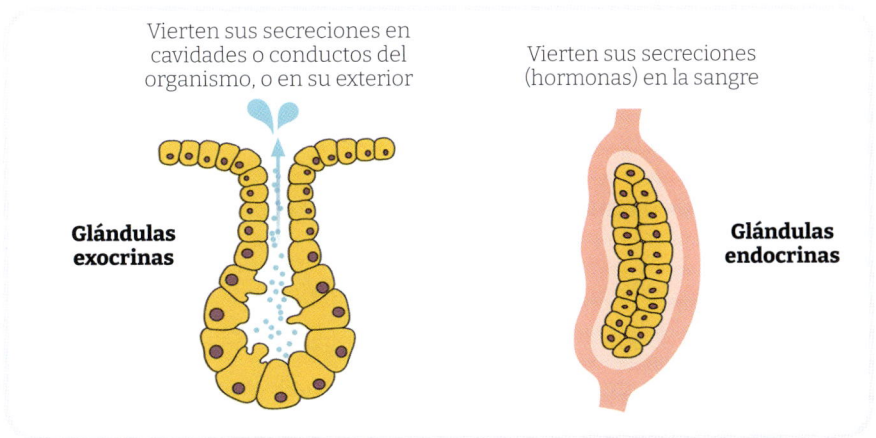

Fig. 1.20. Glándulas exocrinas y glándulas endocrinas.

- **Glándulas exocrinas**. Secretan distintos tipos de sustancias (sudor, saliva, jugos digestivos, lágrimas, etc.), que vierten en cavidades o conductos del organismo, o en su exterior. Mediante la acción del sistema nervioso, las glándulas aumentan o reducen sus secreciones.

 El sistema endocrino: la regulación del organismo

● **Glándulas endocrinas**. Secretan **hormonas**, que vierten a la sangre. Las hormonas son mensajeros químicos que viajan por el sistema vascular hasta llegar a la zona del organismo en que deben actuar; una vez allí, transmiten instrucciones químicas a las células.

El conjunto de glándulas endocrinas forma el **sistema endocrino**, que controla muchas funciones esenciales del organismo, como el crecimiento y el desarrollo, el metabolismo y la reproducción.

Fig. 1.21. Principales glándulas del sistema endocrino.

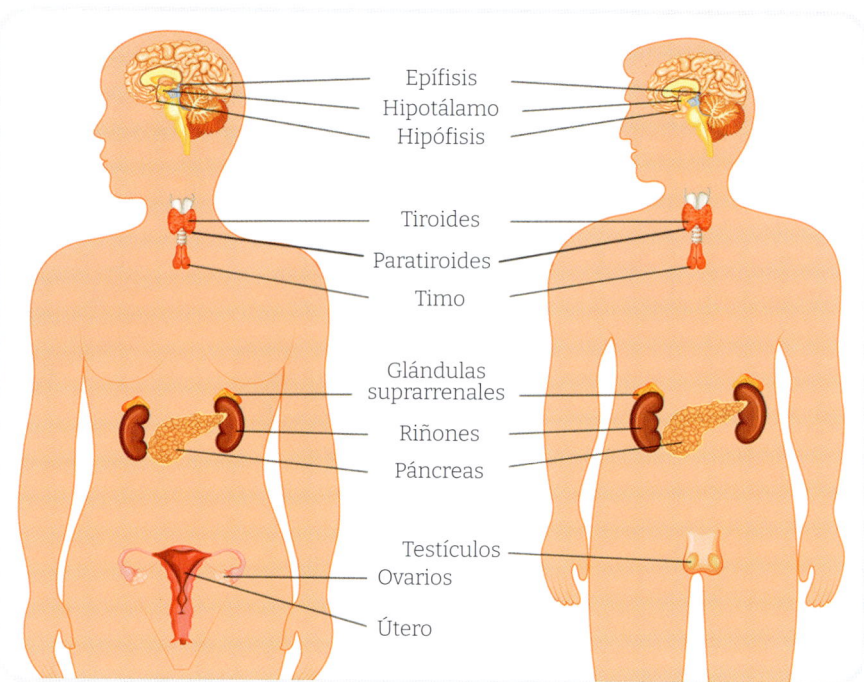

Actividades

Diagrama de flujo

7. Indica cómo se denominan y dónde se localizan los diferentes receptores sensoriales:

Sentido	Receptores sensoriales	Se localizan en...
Vista	----------	----------
Oído	----------	----------
Olfato	----------	----------
Gusto	----------	----------
Tacto	----------	----------

8. Elabora un **diagrama de flujo** que muestre el proceso básico que tiene lugar en el sistema nervioso a partir de la recepción de un estímulo hasta la ejecución de la respuesta.

9. Observa esta imagen de una rodilla y responde:

a) ¿Qué ocurre si el músculo *a* se contrae?

b) ¿Qué ocurre si el músculo *b* se contrae?

c) ¿Es lógico que ambos músculos se contraigan a la vez? ¿Qué ocurriría?

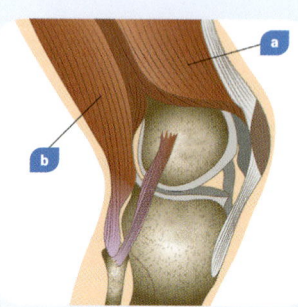

10. Di qué es una glándula y explica en qué se diferencian una glándula exocrina de una glándula endocrina.

1.3. Funciones vitales: la reproducción

La reproducción es la capacidad de crear nuevos individuos semejantes. Para esta función son necesarios el *aparato reproductor femenino* y el *aparato reproductor masculino*.

1.3.1. Aparato reproductor femenino

El aparato genital femenino

Los órganos sexuales femeninos son los *ovarios*, las *trompas uterinas*, el *útero* y la *vagina*.

- **Ovarios**. Producen gametos femeninos (ovocitos, precursores de los óvulos) y secretan hormonas femeninas (estrógenos y progesterona). Aproximadamente cada 28 días liberan un ovocito (**ovulación**).

- **Trompas uterinas o de Falopio**. Salen de los ovarios y acaban a ambos lados del útero. En la trompa, el ovocito expulsado por el ovario acaba de madurar para transformarse en óvulo. En esta zona se produce la fecundación.

- **Útero**. En él desembocan las trompas uterinas. Tiene dos partes:

  - **Cuerpo**. Es la parte más craneal y ancha, y delimita una cavidad en su interior (cavidad uterina).

  - **Cuello o cérvix**. Delimita un conducto corto, que se continúa con la vagina.

  El útero se prepara en cada ciclo de 28 días para acoger un posible embarazo, engrosando su pared. Si este no se produce, el material se expulsa y se produce la **menstruación**.

- **Vagina**. Es el conducto que comunica el útero con el exterior.

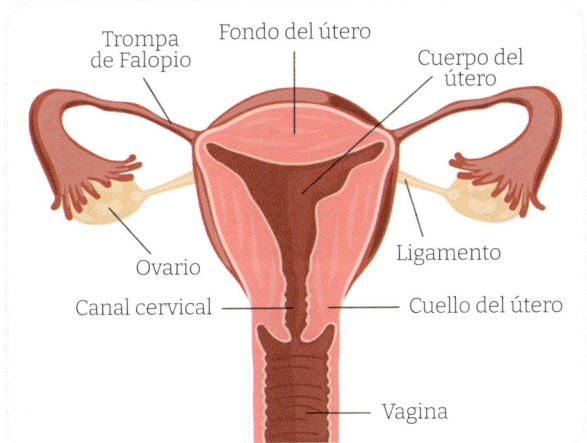

Fig. 1.22. Aparato genital femenino.

El funcionamiento del aparato reproductor femenino está regulado hormonalmente, mediante un mecanismo complejo en el cual interactúan hormonas secretadas por los ovarios, la hipófisis y el hipotálamo.

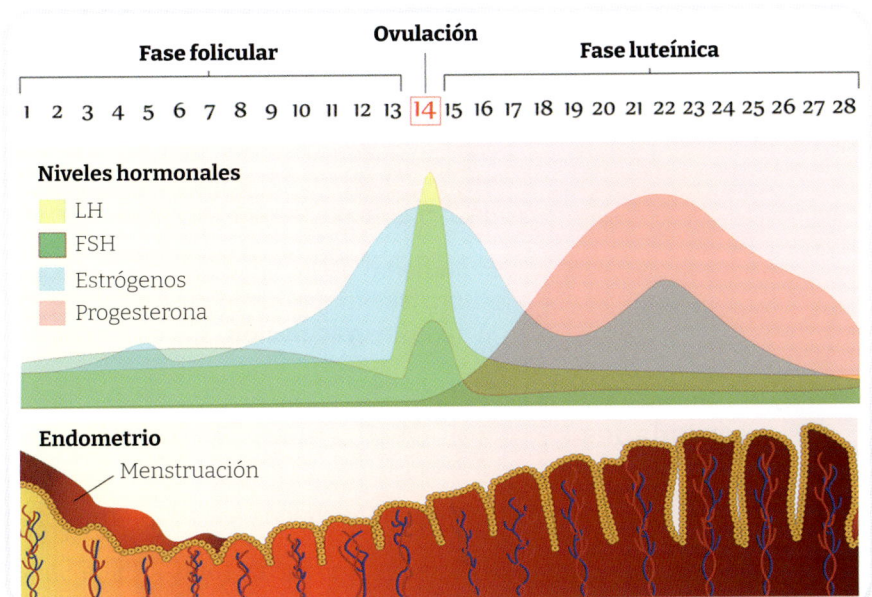

Fig. 1.23. Evolución de la concentración de hormonas a lo largo del ciclo ovárico y cambios en el endometrio (pared del cuerpo uterino).

1.3.2. **Aparato reproductor masculino**

Los órganos sexuales masculinos son los *testículos*, los *conductos* que salen de ellos, la *próstata* y el *pene*.

 El aparato genital masculino

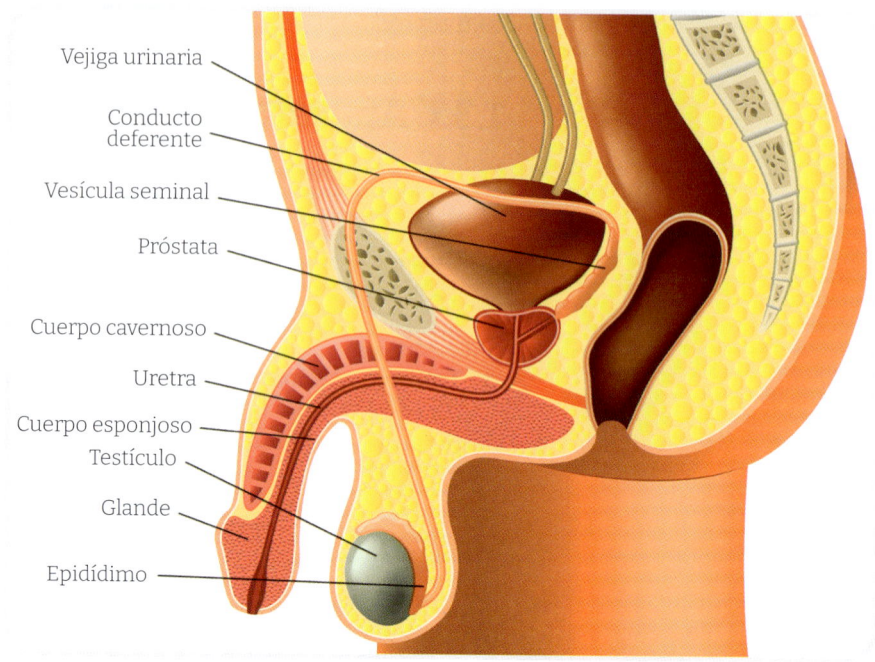

Vejiga urinaria

Conducto deferente

Vesícula seminal

Próstata

Cuerpo cavernoso

Uretra

Cuerpo esponjoso

Testículo

Glande

Epidídimo

Fig. 1.24. Aparato reproductor masculino.

● **Testículos**. Producen gametos masculinos (espermatozoides) y secretan hormonas masculinas (andrógenos, el más importante de los cuales es la testosterona). Son dos glándulas situadas dentro de unas cubiertas llamadas bolsas testiculares; ambas bolsas están recubiertas por el escroto o bolsa escrotal. En el interior de los testículos están los túbulos seminíferos, donde se forman los espermatozoides.

● **Conductos**. A partir de los túbulos seminíferos van derivando otros conductos: el epidídimo, el conducto deferente y el conducto eyaculatorio. Finalmente, los conductos eyaculatorios de ambos testículos desembocan en la uretra. En el epidídimo se completa la maduración de los espermatozoides, y en tramos posteriores se vierten las secreciones de las glándulas seminales y de la próstata. El resultado es el **semen**.

● **Pene**. Es un órgano cilíndrico, suspendido de la parte anterior del perineo. El extremo del pene se llama glande y está recubierto por un repliegue cutáneo que se denomina prepucio.

Los estímulos sexuales, tanto físicos como psíquicos, desencadenan una respuesta involuntaria del organismo: la **erección**, que es una elevación y un aumento del tamaño del pene.

El aumento de la superficie de contacto del pene y de la intensidad de la estimulación que provoca la erección desencadenan otra respuesta involuntaria: la **eyaculación**, que es la expulsión del semen hacia el exterior.

 Actividades

11. Dibuja un esquema que represente los ovarios, las trompas, el útero y la vagina.

12. Di qué componentes tiene el semen y dónde se forman cada uno de ellos.

 1.4. Alteraciones en el funcionamiento del organismo

El correcto funcionamiento del organismo depende de que cada una de sus funciones fisiológicas se desarrolle correctamente. Una alteración en cualquiera de ellas puede generar trastornos en otras. Las alteraciones se traducen en *manifestaciones clínicas* y en alteraciones de distintos *parámetros fisiológicos*.

1.4.1. Manifestaciones clínicas

Las alteraciones de funcionamiento del organismo se traducen en *signos* y *síntomas*.

- **Signos**. Son datos objetivos y a menudo cuantificables. Algunos de ellos se determinan en los laboratorios de análisis clínicos. Por ejemplo: fiebre, hipercolesterolemia, hipertensión, taquicardia, hiperleucocitosis, edema, erupción cutánea, etc.

- **Síntomas**. Son sensaciones que describe la persona enferma. Por ejemplo: mareo, dolor, somnolencia, malestar general, vértigo, sensación de debilidad, etc.

 Terminología clínica

Las personas que sufren un proceso patológico no presentan un solo signo o síntoma, sino un conjunto de ellos.

> Al conjunto de signos y síntomas que manifiesta una persona lo denominamos **cuadro clínico**.

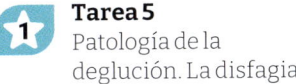 **Tarea 5**
Patología de la deglución. La disfagia

Algunos signos y síntomas son generales, y se presentan en distintos trastornos y enfermedades, como el malestar general, la fiebre o la debilidad, mientras que otros se asocian a determinados aparatos o sistemas del organismo, como la tos al aparato respiratorio, o una diarrea, al digestivo. La tabla siguiente muestra algunos de estos signos y síntomas.

APARATO DIGESTIVO	
Anorexia	Falta de apetito.
Cólicos	Fuertes dolores abdominales que comienzan y acaban de forma repentina, a oleadas.
Diarrea	Expulsión de heces acuosas y blandas, con una mayor frecuencia de la defecación.
Disfagia	Trastorno del proceso de deglución, que se manifiesta en una dificultad para tragar alimentos.
Dispepsia	Sensación de dolor, malestar o incomodidad en la parte alta del abdomen.
Estreñimiento	Frecuencia muy baja de defecaciones, generalmente con heces secas y duras.
Ictericia	Coloración amarillenta de la piel y de la esclerótica.
Pirosis o acidez gástrica	Sensación de ardor o dolor justo debajo del esternón.
Vómito	Expulsión por la boca del contenido del estómago.
APARATO RESPIRATORIO	
Cianosis	Coloración azulada de la piel debida a una oxigenación insuficiente de la sangre.
Disnea	Dificultad para respirar o sensación subjetiva de falta de aire.
Estornudo	Espiración explosiva causada por una irritación en la mucosa nasal.
Expectoración	Expulsión de moco, esputo o líquidos desde el tracto respiratorio por medio de la tos o carraspeo.
Hemoptisis	Presencia de sangre en la expectoración.
Tos	Espiración brusca, explosiva, que quiere eliminar algún agente extraño que está irritando las vías respiratorias.
APARATO CARDIOVASCULAR	
Arritmia	Trastorno en los latidos o en el ritmo del corazón.
Dolor torácico	Dolor opresivo, acompañado de sensación de ardor o rigidez en el pecho y se suele irradiar a brazos, hombros o cuello.

▶

▶

Edemas	Acumulación de líquido intersticial, en piernas, tobillos y pies.
Palpitaciones	Sensaciones de latidos cardiacos que se perciben como si el corazón estuviera latiendo con violencia o acelerando.
APARATO URINARIO	
Cólico nefrítico	Dolor extremadamente intenso, que comienza en la región lumbar y se irradia de forma típica hacia la fosa ilíaca, la región inguinal y los genitales.
Disuria	Micción dolorosa o difícil.
Incontinencia urinaria	Incapacidad para frenar el inicio de la micción.
Oliguria	Eliminar diariamente un volumen de orina inferior al normal.
Poliuria	Eliminar diariamente un volumen de orina superior al normal.
Retención urinaria	Imposibilidad de orinar.
SISTEMA NERVIOSO	
Alteraciones de la consciencia	Ausencia de respuesta a estímulos externos o la emisión de respuestas inadecuadas.
Alteraciones de la sensibilidad	Dificultades en la percepción o interpretación de estímulos sensoriales.
Alteraciones del lenguaje	Dificultades en el habla.
Alteraciones motoras	Convulsiones, parálisis, debilidad, dificultad en el control de los movimientos, temblores, etc.
APARATO LOCOMOTOR	
Debilidad muscular	Disminución del tamaño y la fuerza de los músculos.
Parálisis	Es una pérdida (-plejia) o disminución (-paresia) de la capacidad de movimiento o de contracción de uno o varios músculos.
Rigidez articular	Disminución de la capacidad de movimiento de alguna articulación.
Temblores	Contracciones musculares involuntarias y generalmente rítmicas que provocan movimientos agitados en una o más partes del cuerpo
APARATO REPRODUCTOR FEMENINO	
Metrorragia	Hemorragia fuera del periodo menstrual.
Menorragia	Sangrado menstrual más abundante o duradero.
Hipomenorrea	Pérdidas menstruales escasas o de menos de tres días de duración.
Amenorrea	Falta de menstruación durante más de 90 días.

1.4.2. Alteración de parámetros fisiológicos

Muchos signos son cuantificables, y los valores obtenidos en su medición permiten valorar distintos aspectos del estado de salud.

Cuatro de ellos los conocemos como **signos vitales**: temperatura corporal, presión arterial, frecuencia cardiaca y frecuencia respiratoria. Son parámetros fácilmente medibles que proporcionan información muy relevante sobre el funcionamiento del organismo.

Otros parámetros también se pueden medir sin dificultad, como la saturación de oxígeno en sangre capilar (con un pulsioxímetro), la capacidad pulmonar (con un espirómetro), la diuresis (recogiendo la orina del día en un recipiente volumétrico) o la glucemia (con un glucómetro).

El seguimiento de algunas enfermedades requiere que la persona mida alguno de estos parámetros y anote los resultados, para valorar su evolución en el tiempo. En las personas en situación de dependencia puede ser necesaria la ayuda de otra persona o que alguien realice las mediciones en su lugar.

Otros parámetros se estudian en los laboratorios de análisis clínicos, a partir de muestras clínicas: análisis de sangre, de orina, de heces, etc. Entre ellos, los más comunes y que proporcionan más información son los de sangre y orina.

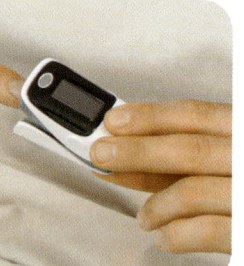

Fig. 1.25. Pulsioxímetro.

Actividades

13. Cita tres manifestaciones clínicas respiratorias, tres digestivas y tres cardiovasculares. Para cada una, explica en qué consiste.

 1.5. Enfermedades más comunes

Una **enfermedad** es, según la Organización Mundial de la Salud (OMS), una alteración del estado fisiológico en una o varias partes del cuerpo, por causas en general conocidas, manifestada por signos y síntomas característicos y cuya evolución es más o menos previsible.

El organismo humano puede sufrir una gran variedad de enfermedades de distintos tipos. Algunas se deben a un funcionamiento incorrecto de alguna estructura o mecanismo del propio organismo, como las enfermedades genéticas o las autoinmunes, mientras que otras se deben a factores externos, como las infecciones o las intoxicaciones.

A continuación veremos algunas de las enfermedades más comunes que afectan a los principales aparatos y sistemas del organismo.

Fig. 1.26. La enfermedad puede ser causa de dependencia, pero eso no implica que todas las personas en situación de dependencia estén enfermas.

 Documento 1.1.
La salud y la enfermedad

La OMS definió en 1947: «La salud es un estado de completo bienestar físico, mental y social, y no solamente la ausencia de afecciones o enfermedades.» En esta definición observamos:

● Que a la hora de pensar en la salud no solo se tiene en cuenta el estado físico, sino también los estados mental y social.

● Que se refiere a «estado de completo bienestar». Según esto, casi nadie gozaría de salud, ya que difícilmente encontraremos a alguien que se encuentre de forma continuada en un estado de completo bienestar físico, mental y social. Esto ha hecho que diversos autores incorporen al concepto de salud un componente dinámico, que rompe el binomio salud/enfermedad y permite definir distintos grados de salud.

Muerte ← Pérdida de salud — Zona neutra — Salud positiva → Máximo grado de salud

Fig. Los grados de salud forman una línea que va desde el máximo grado de bienestar hasta la muerte.

Así, salud y enfermedad forman parte de una línea continua: en un extremo está el máximo grado de bienestar físico, psíquico y sociológico, y en el otro, la muerte. Entre y uno y otro extremos hay distintos grados de salud y enfermedad, y una zona neutra en la que no se distingue lo normal de lo patológico.

Tarea 6
Prevención y tratamiento de la disfagia

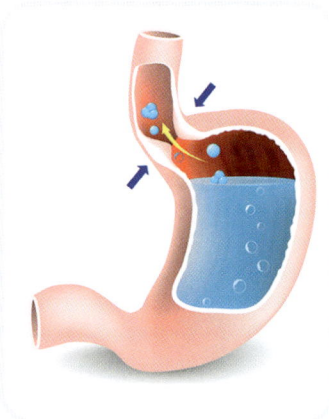

Fig. 1.27. Una contracción incompleta del cardias permite el reflujo del contenido gástrico y provoca pirosis.

1.5.1. Aparato digestivo

Las alteraciones en el aparato digestivo pueden afectar al propio tubo, al proceso de absorción o a las glándulas que vierten sus secreciones en él (hígado y páncreas). Las consecuencias se suelen observar como alteraciones del proceso digestivo y en algunos casos pueden causar un déficit de nutrientes.

» Alteraciones en el tubo digestivo

Las distintas estructuras del tubo digestivo pueden ver alterado su funcionamiento.

● **Alteraciones en la boca, la garganta o en las glándulas salivales**. Pueden dificultar o impedir la correcta formación del bolo alimenticio o su deglución.

● **Alteraciones en la circulación por el esófago**. Se pueden deber a una reducción de la luz del esófago (por inflamación, obstrucción, presencia de masas tumorales, etc.), a trastornos que reduzcan o supriman el peristaltismo, o ser consecuencia de un reflujo gástrico, que puede lesionar la mucosa.

● **Alteraciones a nivel gástrico**. Las más comunes son:

  ◦ **Gastritis**. Es una inflamación de la mucosa gástrica, que puede ser aguda o crónica. Los signos y síntomas más comunes son dolor en la boca del estómago, sensación de saciedad en la parte superior del abdomen después de comer, náuseas y vómitos.

  ◦ **Ulcera péptica**. Es una lesión de la mucosa con forma de cráter. Las causas más frecuentes son la infección por la bacteria *Helicobacter pylori*, la acción de los propios jugos gástricos y los tratamientos con antiinflamatorios no esteroideos. Dependiendo de la localización hablamos de úlceras gástricas o de úlceras duodenales.

  ◦ **Acidez gástrica (pirosis)**. Es una sensación de ardor o dolor justo debajo o detrás del esternón, causada por la exposición del último tramo del esófago a los contenidos ácidos del estómago. Se debe a un reflujo del contenido gástrico hacia el esófago.

● **Alteraciones en el intestino grueso**. Una de las más comunes es la *colitis*.

  ◦ **Colitis**. Es una inflamación del colon, que se puede deber a diversas causas, como infecciones, trastornos inflamatorios (colitis ulcerosa o la enfermedad de Crohn) o falta de flujo sanguíneo (colitis isquémica). Los síntomas más generales son dolor y distensión abdominales, diarrea, heces con sangre, escalofríos, etc.

» Alteraciones en la absorción

Destacamos el **síndrome de malabsorción**, que es la dificultad para absorber los nutrientes provenientes de los alimentos. Puede ser general, para todos los nutrientes, o específica para algún grupo de ellos. Provoca distensión abdominal, cólicos, gases, heces voluminosas, diarrea crónica, etc.

La causa puede estar en el propio intestino o en otras zonas del aparato digestivo (páncreas, hígado, vías biliares, esófago, estómago), o deberse a ciertas enfermedades sistémicas. Otras posibles causas son el déficit de uno o varios enzimas digestivos o el consumo de ciertos medicamentos

>> Alteraciones en las glándulas anexas

El hígado y el páncreas también pueden causar procesos patológicos.

● **Cálculos biliares**. Se forman cuando hay sustancias en la bilis que se endurecen. La presencia de cálculos en la bilis puede obstruir los distintos conductos por los que esta circula.

Los síntomas incluyen náuseas, vómitos o dolor en el abdomen, en la espalda o debajo del brazo derecho. Los cálculos biliares son más comunes entre personas mayores, mujeres y personas con sobrepeso.

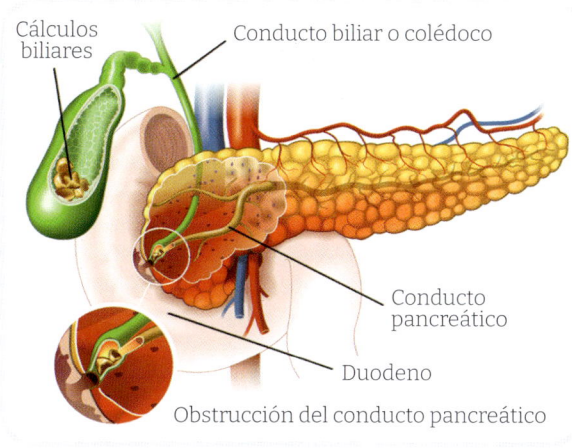

Cálculos biliares
Conducto biliar o colédoco
Conducto pancreático
Duodeno
Obstrucción del conducto pancreático

Fig. 1.28. Los cálculos biliares se forman en la vesícula biliar; con la secreción de la bilis pueden ser arrastrados y obstruir los conductos.

● **Pancreatitis**. Es una inflamación del páncreas que se produce cuando los enzimas pancreáticos se activan en el páncreas en lugar de hacerlo en el intestino delgado. Una de las causas más frecuentes son los cálculos biliares, que obstruyen el conducto pancreático e impiden la salida de las secreciones, haciendo que los enzimas permanezcan en el interior del páncreas.

La pancreatitis causa un dolor intenso en la parte superior del abdomen, náuseas y vómitos, pérdida de peso y heces grasosas. Además, la falta de enzimas en el duodeno hace que no se complete la digestión de muchos nutrientes, lo que impedirá su absorción.

● **Hepatitis**. Es una inflamación del hígado que puede tener causas muy diversas, como traumatismos, enfermedades autoinmunes, acción de fármacos o tóxicos, alteraciones genéticas, o infecciones por virus, bacterias o parásitos.

Un síntoma clásico de hepatitis es la **ictericia** (coloración amarillenta de piel y ojos) debida a un exceso de bilirrubina en el organismo, por incapacidad del hígado para eliminarla.

● **Cirrosis**. La cirrosis se produce como fase final de una enfermedad hepática crónica y no tiene curación, ya que el daño hepático es irreversible. Todo esto conlleva un fallo en las funciones hepáticas y un pronóstico grave.

1.5.2. Aparato respiratorio

Las alteraciones del aparato respiratorio causan dificultades respiratorias. En algunos casos pueden provocar que no llegue suficiente oxígeno a la sangre; cuando esto ocurre, el nivel de oxígeno en sangre es bajo (**hipoxemia**) y el organismo no dispone de todo el oxígeno que necesita.

>> Alteraciones en las vías respiratorias

Las distintas estructuras de las vías respiratorias pueden sufrir alteraciones.

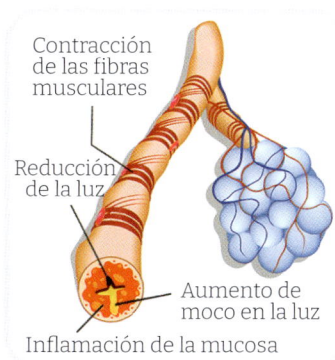

Contracción de las fibras musculares
Reducción de la luz
Aumento de moco en la luz
Inflamación de la mucosa

Fig. 1.29. Cambios en los bronquios durante una crisis asmática.

● **Infecciones de las vías respiratorias superiores** (IRS). Son la alteración más frecuente en las **vías respiratorias superiores.** Los síntomas comunes son goteo o congestión nasal y tos. Entre las IRS más comunes se encuentran la gripe, el resfriado y la sinusitis.

● **Asma**. Se caracteriza por una inflamación de los bronquios, que dificulta el paso del aire. Se manifiesta típicamente con tos, disnea y sibilancias.

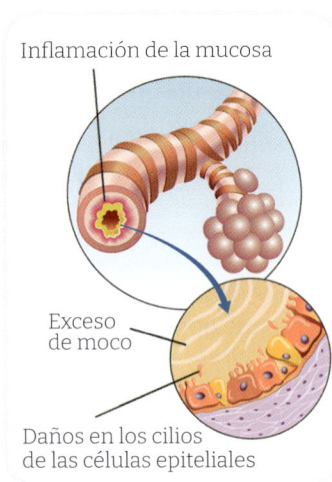

Inflamación de la mucosa

Exceso de moco

Daños en los cilios de las células epiteliales

Fig. 1.30. Afectaciones en una bronquitis crónica.

Neumonía

Fig. 1.31. La neumonía es una inflamación del tracto respiratorio inferior.

Las crisis asmáticas se producen a partir de un factor desencadenante, que puede ser un alérgeno o un factor inespecífico (ejercicio, algunas infecciones respiratorias, polución ambiental, estrés, etc.).

- **Bronquitis**. Se caracteriza por una inflamación del árbol traqueobronquial. Según su duración puede ser aguda o crónica.

>> Alteraciones en los pulmones

Las principales enfermedades pulmonares son:

- **Neumonía**. Es una inflamación que puede afectar a ambos pulmones, a uno solo, o a zonas más delimitadas. Causa un dolor agudo que empeora con la respiración, la tos y los movimientos torácicos. Otro signo típico es la expectoración de color herrumbroso (oscura y rojiza, no roja). La neumonía puede ser causada por varios agentes etiológicos, tanto bacterias como virus u hongos.

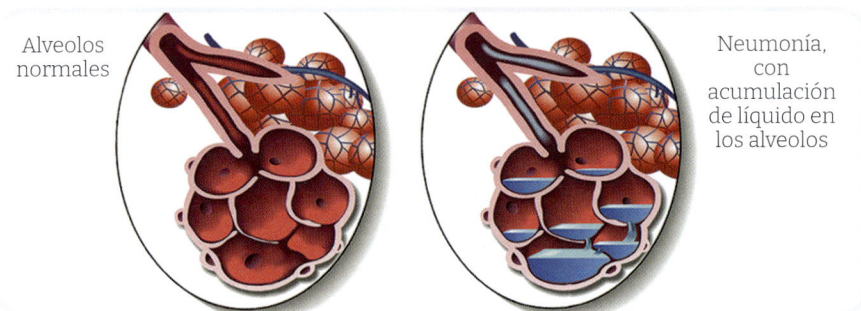

Alveolos normales

Neumonía, con acumulación de líquido en los alveolos

- **Tuberculosis**. Es una infección bacteriana crónica causada por la bacteria *Mycobacterium tuberculosis*. Es una enfermedad muy contagiosa que se transmite por el aire.

  Los síntomas característicos son tos no productiva, astenia, dolor torácico, pérdida de peso, fiebre, sudores nocturnos, etc.

- **Enfermedad pulmonar obstructiva crónica** (EPOC). Son un grupo de enfermedades crónicas que se caracterizan por una obstrucción de las vías bajas y que provocan dificultades para respirar. La bronquitis crónica se incluye en este grupo. Otra enfermedad con estas características es el enfisema pulmonar.

- **Cáncer de pulmón**. Es uno de los tipos de cáncer más frecuentes en el mundo. Los síntomas más frecuentes suelen ser: dificultad respiratoria, tos permanente que empeora con el tiempo y que puede presentar sangre, pérdida de peso y apetito, dolor constante en el pecho, falta de aliento, episodios repetidos de neumonía y bronquitis, etc.

>> Alteraciones en la pleura

Puesto que las pleuras son una capa de protección que facilita el movimiento de los pulmones, las afectaciones en ellas hacen que los movimientos respiratorios resulten dolorosos. Es característico un dolor agudo que empeora con la tos o la respiración profunda.

- **Pleuritis**. Es una inflamación de las membranas, lo que hace que al respirar rocen entre ellas produciendo un gran dolor.

- **Neumotórax**. Se debe a una entrada de aire al espacio pleural.

- **Derrame pleural**. Es una acumulación de líquido dentro del espacio pleural.

1.5.3. **Aparato cardiovascular**

Una reducción del flujo sanguíneo en una zona del organismo (**isquemia**) provoca que sus células no reciban suficiente oxígeno y sufran lesiones graves, o incluso irreversibles. Esta situación es especialmente grave cuando las zonas que quedan sin irrigación están en el cerebro o en el corazón.

Dada la estrecha relación que hay entre los aparatos respiratorio y circulatorio, el fallo de cualquiera de los dos sistemas conduce al fallo del otro y puede desembocar en una parada cardiorrespiratoria. Y esta relación también hace que en una alteración cardiovascular se observen signos y síntomas respiratorios, como disnea, edemas, cianosis o hemoptisis.

»» Alteraciones del sistema vascular

Son alteraciones que afectan a las arterias o las venas. Las más comunes son:

● **Patologías vasculares por afectación de vasos**, como:

  ● **Aneurisma**. Dilatación patológica de un segmento de un vaso sanguíneo que habitualmente se produce a nivel arterial, especialmente en la arteria aorta.

  ● **Varices**. Dilataciones venosas, generalmente en las extremidades inferiores. Se producen por una alteración de las válvulas semilunares, lo que dificulta el retorno venoso y hace que la sangre se acumule en las venas.

● **Patologías vasculares obstructivas**. Se produce una obstrucción en el interior de un vaso, lo que dificulta o impide la circulación de la sangre.

  ● **Aterosclerosis**. Consiste en el depósito de placas (ateromas) en la pared interna de las arterias. La prevención de la aterosclerosis es clave para reducir el riesgo cardiovascular: una dieta sana, con pocas grasas saturadas, y ejercicio regular son las principales medidas. También el control de enfermedades crónicas, como la hipertensión y la diabetes.

  ● **Trombosis**. Es la formación de un coágulo (trombo) en el interior de un vaso sanguíneo.

  ● **Embolia**. Oclusión parcial o total de un vaso sanguíneo debida a una partícula extraña circulante (émbolo) que, llegada a un vaso de pequeño calibre, queda encajada. El émbolo puede ser un ateroma o un trombo que se hayan desprendido.

Fig. 1.32. Las placas ateroscleróticas pueden activar la formación de coágulos.

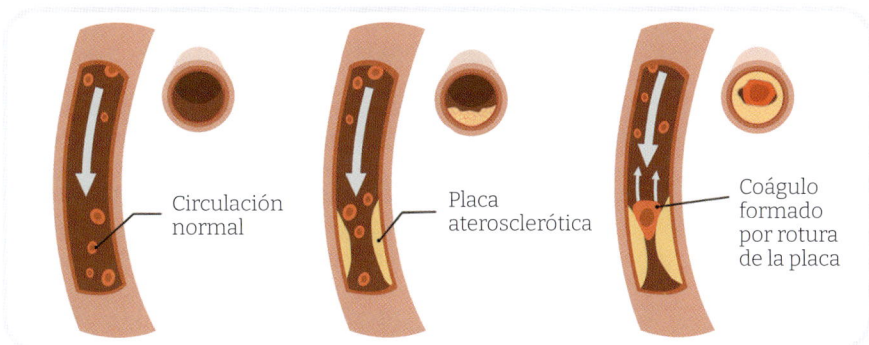

Circulación normal

Placa aterosclerótica

Coágulo formado por rotura de la placa

 Tipos de AVC

● **Patologías cerebrovasculares**. Los accidentes vasculares cerebrales (AVC), o ictus, son interrupciones del riego sanguíneo en alguna parte del cerebro. La interrupción de la circulación se puede deber a dificultades en la circulación por estrechamiento u obstrucción de un vaso (AVC isquémicos), o a la rotura del vaso (AVC hemorrágicos).

>> Alteraciones cardiacas

Las células del corazón reciben el oxígeno y los nutrientes de las arterias coronarias. Cualquier obstrucción en una de estas arterias o en sus ramificaciones dejará una zona del miocardio sin irrigación y, por tanto, sin oxígeno (**cardiopatía isquémica**).

El conjunto de síntomas clínicos que son compatibles con una cardiopatía isquémica aguda se denomina **síndrome coronario agudo** (SCA). Los principales SCA son:

- **Angor inestable o angina de pecho**. Es un dolor torácico debido a una isquemia del miocardio. El dolor suele ser de corta duración y no causar lesiones permanentes, aunque puede evolucionar hacia un infarto agudo de miocardio. Se suele deber a la presencia de ateromas en los vasos coronarios.

- **Infarto agudo de miocardio**. Es un cuadro de dolor más intenso debido a una necrosis de tejido cardiaco por falta de irrigación, y que se mantiene durante más de 20 minutos.

  La causa más habitual es un trombo que bloquea la circulación de alguna arteria coronaria. Con frecuencia, el trombo se ha formado en una arteria coronaria estrechada por la presencia de ateromas.

>> Alteraciones en las válvulas cardiacas

Las **valvulopatías** son alteraciones en una o varias de las válvulas del corazón, que impiden que su apertura o cierre se realicen de forma completa, lo que impide que el corazón realice un bombeo efectivo. Son más comunes en personas de edad avanzada.

1.5.4. Aparato urinario

El aparato urinario filtra la sangre y retira sustancias de desecho, por lo que un mal funcionamiento puede hacer que se acumulen sustancias tóxicas en la sangre. Pero además este aparato también tiene una función clave en el control de la volemia, regulando el agua y los electrolitos que expulsa del organismo, por lo que su alteración también afectará a la volemia y al equilibrio iónico.

>> Alteraciones en las vías renales

Las alteraciones más comunes a este nivel son:

- **Litiasis, urolitiasis o nefrolitiasis**. Obstrucciones en las vías renales por la presencia de cálculos o piedras.

- **Infecciones del tracto urinario** (ITU), que se denominan según su localización: uretritis (uretra), cistitis (vejiga) o pielonefritis (riñón). Muchas de ellas son ascendentes, es decir, la infección se inicia en el meato urinario y los microorganismos van ascendiendo por las vías urinarias. Si la infección llega a afectar al riñón, el cuadro clínico puede ser grave.

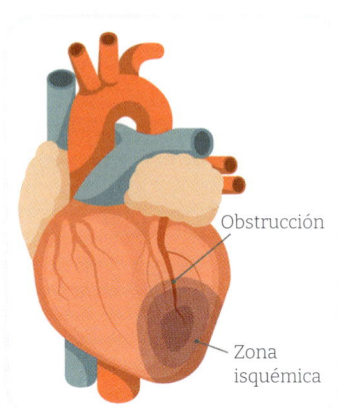

Obstrucción

Zona isquémica

Fig. 1.33. Las cardiopatías isquémicas afectan a la irrigación del músculo cardiaco.

¡Tenlo en cuenta!

Una higiene incorrecta de la zona perineal, especialmente en mujeres, puede ser causa de una infección ascendente en el tracto urinario.

»» Alteraciones en el funcionamiento de los glomérulos renales

Distintas enfermedades pueden provocar un mal funcionamiento de los glomérulos renales y, en consecuencia, una filtración deficiente de la sangre. De forma general se agrupan en dos categorías, según el síndrome que provocan:

● **Síndrome nefrítico**. Se debe a una inflamación (glomerulonefritis) y se manifiesta con hipertensión arterial, edema y hematuria.

Las causas se pueden ser infecciones, enfermedades autoinmunes, trastornos metabólicos o traumatismos. Entre ellas, las causas más frecuentes son las infecciones urinarias altas (pielonefritis).

● **Síndrome nefrótico**. Se debe a un aumento de la permeabilidad de los capilares de los glomérulos, que hace que sustancias que normalmente no los atravesarían sí lo hagan. Se manifiesta con proteinuria, hipoalbuminemia, hiperlipidemia y edemas.

Diversos trastornos renales, como la glomerulonefritis, pueden dañar los glomérulos y causar un síndrome nefrótico. También se puede deber a ciertas enfermedades, como la diabetes, o a un consumo excesivo de algunos medicamentos.

1.5.5. Sistema nervioso

El sistema nervioso actúa sobre todos los aparatos y sistemas, por lo que una alteración en su funcionamiento puede tener manifestaciones muy diversas.

Es muy destacada su relación con el aparato locomotor, que requiere de la estimulación nerviosa para que las células musculares se puedan contraer. De hecho, diversas alteraciones que se manifiestan con dificultades en la movilidad tienen su origen en una alteración del sistema nervioso. Por ejemplo, los temblores, las convulsiones o las parálisis se deben a menudo a trastornos o enfermedades del sistema nervioso.

»» Enfermedades neurodegenerativas

Existen diversas enfermedades que provocan una degeneración progresiva e irreversible de estructuras nerviosas. Algunas de las más frecuentes son las siguientes:

● **Esclerosis lateral amiotrófica** (ELA). Afecta a las neuronas motoras del cerebro y la médula espinal, y causa pérdida del control muscular. Es más común en personas de entre 40 y 70 años, y más frecuente en mujeres.

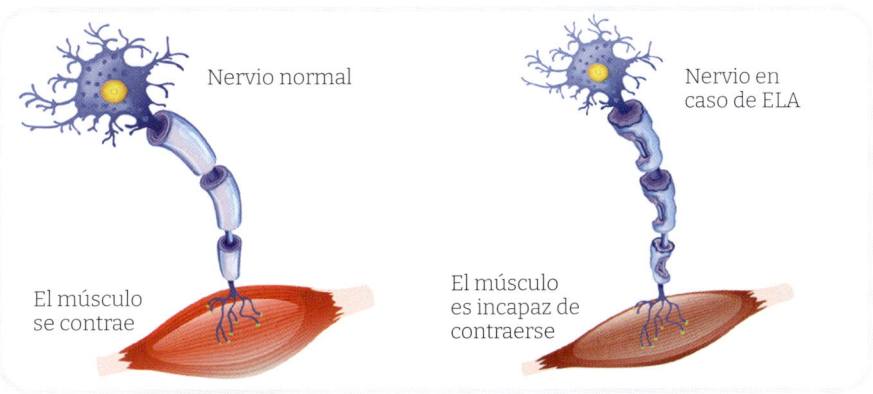

Fig. 1.34. Afectación de las neuronas motoras en la ELA.

- **Esclerosis múltiple** (EM). Es una enfermedad autoinmune que deteriora la mielina del cerebro y de la médula espinal, provocando la aparición de placas escleróticas que impiden el funcionamiento normal de las fibras nerviosas.

- **Atrofia muscular espinal** (AME). Es un grupo de enfermedades genéticas que causan daños, y finalmente la muerte, a las neuronas motoras de la médula espinal.

- **Enfermedad de Alzheimer**. Se presenta generalmente en personas mayores de 65 años y se caracteriza por un deterioro progresivo de la cognición. La enfermedad produce una atrofia del cerebro y la muerte de sus neuronas, de forma progresiva e irreversible.

- **Enfermedad de Parkinson**. También es más frecuente en personas de edad y es un tipo de trastorno del movimiento. Ocurre cuando las neuronas no producen suficiente cantidad de dopamina (neurotransmisor).

- **Demencia con cuerpos de Lewy**. Se acumulan unas estructuras anormales (cuerpos de Lewy) en ciertas áreas del cerebro.

>> Infecciones e inflamaciones

También en las estructuras nerviosas se pueden producir infecciones e inflamaciones. Dos de las más frecuentes son:

- **Encefalitis**. Es una inflamación del encéfalo, normalmente causada por una sustancia extraña o por una infección viral.

- **Meningitis**. Es una inflamación de las meninges. Existen varios tipos de meningitis dependiendo del agente que la produzca:

  - **Bacteriana**. Las infecciones meningíticas bacterianas son extremadamente graves y pueden producir la muerte o daño cerebral incluso con tratamiento.

  - **Vírica**. El virus se propaga normalmente por vía sanguínea, aunque algunos pueden llegar por los nervios periféricos.

  - **Fúngica**. Hay distintas especies de hongos que pueden provocar meningitis, especialmente en personas inmunodeprimidas.

>> Alteraciones de los órganos de los sentidos

Problemas de visión

Los órganos de los sentidos también pueden sufrir procesos patológicos que alteren su funcionamiento. Para que se produzca un comportamiento normal, es necesario que los receptores sensitivos, el nervio sensitivo correspondiente y la zona del encéfalo implicada funcionen correctamente. Cualquier alteración en una de estas estructuras evitará o distorsionará la captación del estímulo.

Evidentemente, si se produce una patología orgánica (infecciones, inflamaciones, procesos tumorales, etc.) o un traumatismo que afecte a los órganos de los sentidos, el sentido relacionado se verá afectado.

1.5.6. Aparato locomotor

Muchas alteraciones del movimiento tienen su origen en el sistema nervioso. Pero también hay alteraciones propias del propio aparato locomotor, que pueden ser debidas a *traumatismos* o a *enfermedad*.

>> Traumatismos

Las lesiones traumáticas más habituales son:

- **Músculos**: contracturas, distensiones, roturas fibrilares, roturas musculares.

- **Huesos**: fracturas.

- **Articulaciones**: esguinces, luxaciones.

>> Enfermedades

Existen también enfermedades que afectan a las distintas estructuras del aparato locomotor:

- **Enfermedades de los músculos**:

  - **Distrofia muscular**. Es un grupo de más de 30 enfermedades genéticas. Causan debilidad muscular que empeora con el tiempo, llegando a provocar problemas para caminar y realizar las actividades de la vida diaria.

  - **Miositis**. Inflamación de los músculos esqueléticos. Puede ser causada por una lesión, una infección o una enfermedad autoinmune.

- **Enfermedades de los huesos u osteopatías**:

  - **Osteoporosis**. Se caracteriza por una pérdida de densidad de los huesos, lo cual aumenta el riesgo de fracturas, denominadas fracturas por fragilidad. La más habitual es la fractura de cadera.

Osteoporosis

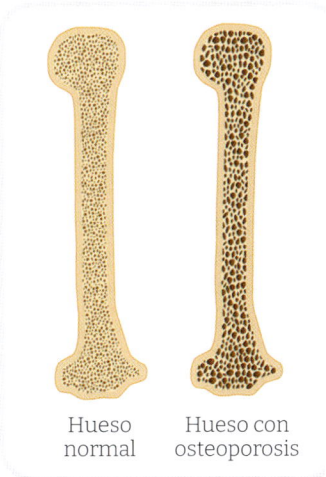

Hueso normal   Hueso con osteoporosis

Fig. 1.35. La osteoporosis causa una pérdida de densidad de los huesos.

> **¡Tenlo en cuenta!**
>
> Las mujeres mayores de 50 y los hombres mayores de 70 años tienen un riesgo más alto de sufrir osteoporosis.

  - **Osteomielitis**. Es una infección bacteriana en el hueso. Cursa con fiebre, dolor y espasmos musculares.

  - **Osteomalacia**. Se caracteriza por un bajo nivel de calcio en los huesos, que pierden dureza y pueden deformarse.

- **Enfermedades de las articulaciones**:

  - **Artrosis**. El cartílago de la articulación degenera, lo que produce dolor y rigidez, que aumentan a medida que va desapareciendo el cartílago. La artrosis es más frecuente a medida que se envejece y aparece especialmente en las articulaciones que soportan peso o movimientos, como las del cuello, la región lumbar, las rodillas, las caderas y los dedos. Es una de las principales causas de dependencia en personas mayores.

  - **Artritis**. Es la inflamación de la articulación por diversas causas, que puede llegar a ocasionar lesiones con el paso del tiempo. Las artritis causan dolor, dificultad para moverse o inflamación, especialmente en manos, dedos, caderas, rodillas y pies.

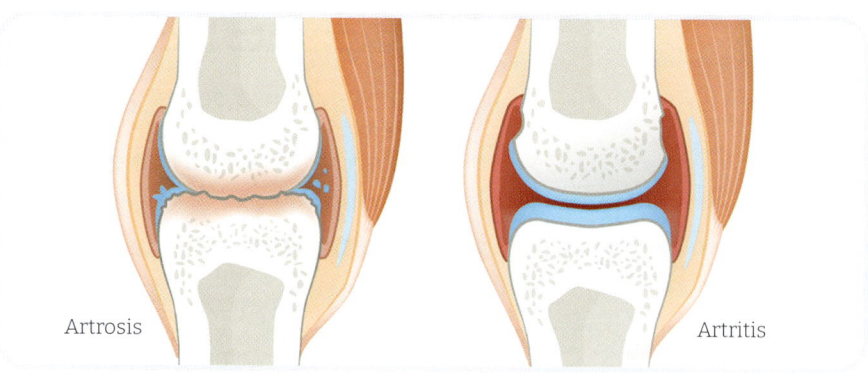

Fig. 1.36. Artrosis y artritis.

- **Hernia discal**. Es la profusión del cartílago intervertebral, de forma que presiona sobre la médula espinal. Aparece sobre todo en la columna lumbar y cursa con dolor, alteración de la sensibilidad y deterioro de la movilidad.

 Hernia discal

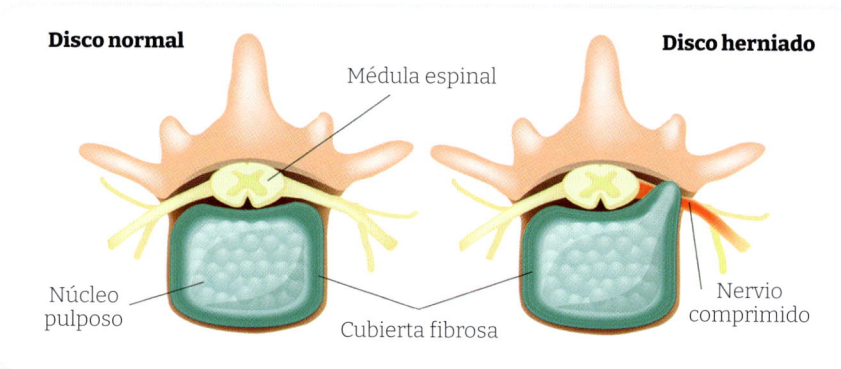

Fig. 1.37. Representación de una hernia discal.

- **Gota**. Es una enfermedad que se debe al aumento del nivel de ácido úrico en sangre (hiperuricemia), lo que provoca el depósito de cristales de urato sódico en una articulación, generalmente en la del primer dedo del pie. Causa dolor e inflamación en la articulación afectada.

1.5.7. Sistema endocrino

Los trastornos en las glándulas endocrinas tienen consecuencias en distintas zonas del organismo, dependiendo del tipo de hormonas que secreten las glándulas afectadas. Los trastornos más comunes son los que afectan a las hormonas tiroideas y a la insulina, producida por el páncreas.

›› Alteración en las hormonas tiroideas

Las anomalías en el funcionamiento de la tiroides tienen un gran impacto en la calidad de vida de las personas. Las patologías o disfunciones más frecuentes de la tiroides son:

- **Hipertiroidismo**. Es el exceso en la producción de hormonas tiroideas. Causa pérdida de peso involuntaria, aumento del apetito, inquietud y nerviosismo, exceso de calor, sudoración, temblor en las manos, presión sanguínea alta, evacuaciones intestinales frecuentes, etc.

- **Hipotiroidismo**. Es la disminución o ausencia de hormonas tiroideas. Algunos síntomas habituales son: piel gruesa y seca, crecimiento anormal de vello, uñas y cabellos débiles, aumento de peso involuntario, estreñimiento, frecuencia cardiaca lenta, voz ronca y apagada, dolor muscular o articular, intolerancia al frío, etc.

- **Nódulo tiroideo**. Protuberancia en la glándula tiroidea que puede ser benigna o maligna, aunque pocos nódulos tiroideos son cancerosos. Son más comunes en las mujeres que en los hombres y la posibilidad de padecerlos se incrementa con la edad.

  Estos nódulos causan dificultades para respirar y deglutir, bocio, cambios en la voz y dolor en el cuello.

›› Alteraciones en las hormonas pancreáticas

La insulina es una hormona secretada por el páncreas. Su función es facilitar la entrada de la glucosa circulante al interior de las células, para que estas puedan obtener energía de ella.

La diabetes es una enfermedad que se caracteriza por la ausencia total o relativa de insulina. Esto supone que la glucosa no puede entrar en las células, que se quedan sin su principal fuente de energía, y se mantiene circulando en la sangre. Los niveles elevados de glucosa en sangre (hiperglucemia) y también en orina (glucosuria) son signos típicos de diabetes.

La diabetes se puede clasificar en dos grandes tipos:

- **Diabetes tipo 1** (5% de las diabetes). Se diagnostica principalmente en jóvenes. No se observa producción de insulina y para su control requiere aporte externo de insulina.

- **Diabetes tipo 2** (95% de las diabetes). Generalmente el páncreas secreta insulina, pero hay una respuesta inadecuada de las células frente ella (resistencia a la insulina).

  El tratamiento se basa en el ejercicio y la dieta y, si no es suficiente, en la administración de hipoglucemiantes orales. En algunos casos es necesaria la administración de insulina.

  El riesgo de desarrollar esta forma de diabetes aumenta con la edad, el peso y la falta de actividad física.

1.5.8. Aparato reproductor

Algunas de las enfermedades más comunes son:

- **Aparato reproductor femenino**. Algunas de las enfermedades más frecuentes son:

  - **Mioma uterino**. Es un tumor benigno de las células musculares del útero, muy común y que pocas veces da signos o síntomas.

  - **Cáncer de cérvix**. La mayoría de los cánceres de cérvix los causa el virus del papiloma humano, que se transmite en las relaciones sexuales.

  - **Cáncer de mama**. Es el tipo de cáncer más frecuente en las mujeres. Su aparición está asociada a distintos factores de riesgo, como menarquia temprana, menopausia tardía, nuliparidad (que no ha tenido ningún parto), primer parto en edad avanzada o uso de anticonceptivos orales.

- **Aparato reproductor masculino**. Algunas de las enfermedades más frecuentes son:

  - **Hiperplasia benigna de próstata**. Es un tumor benigno de esta glándula, que se hace más frecuente con el envejecimiento. El crecimien-

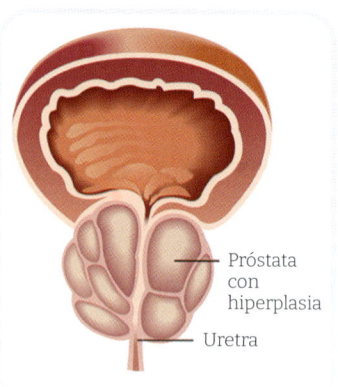

Fig. 1.38. Hiperplasia benigna de próstata.

to de la próstata obstruye el paso de la orina en la zona de la uretra que atraviesa la glándula y causa molestias al orinar.

- **Cáncer de próstata**. Los signos de este cáncer también se manifiestan con dificultades en la orina (flujo débil, mayor frecuencia, dificultad para vaciar la vejiga, etc.).

¡Tenlo en cuenta!

La próstata envuelve el primer tramo de la uretra. Por esta razón, un crecimiento anormal de la próstata comprime la uretra y causa dificultades en la micción.

Otras enfermedades comunes son las **infecciones de transmisión sexual (ITS)**. El agente patógeno de estas infecciones puede ser una bacteria, un parásito, un hongo o un virus. Las causadas por bacterias, hongos o parásitos se pueden tratar y curar. En cambio, cuando el agente es un virus no hay cura definitiva y se aplican tratamientos para aliviar los síntomas y mantener la enfermedad bajo control.

Las principales ITS son: clamidiasis, herpes genital, gonorrea, sida, sífilis, condiloma acuminado o verrugas genitales y tricomoniasis.

 Documento 1.2.
Manifestaciones de las ITS

Las manifestaciones de las ITS suelen ser bastante específicas:

- Lesiones en la piel (úlceras, ronchas, verrugas, etc.) de los genitales o a su alrededor.
- Flujos vaginales anormales o secreciones del pene.
- Escozor o dolor al orinar.
- Dolor abdominal (sobre todo en mujeres) o inflamación de los ganglios linfáticos de la ingle.
- Dolor o molestias durante las relaciones sexuales.
- Síntomas generales como fiebre o malestar general.

Cada enfermedad tiene su propio tratamiento una vez diagnosticada, pero la opción más eficaz es de tipo preventivo. La más elemental es la utilización de preservativos en las relaciones sexuales u otras barreras de protección, como la banda de látex o protector bucal.

Documento 1.3.
La infertilidad

La infertilidad o incapacidad de embarazo de las parejas es la incapacidad para lograr la fecundación mediante coitos después de intentarlo durante un periodo de unos dos años.

Cerca de un 10% de las parejas sufren infertilidad. Tanto en hombres como en mujeres las causas pueden ser muy diversas. En los estudios se evalúan los posibles trastornos de cada miembro de la pareja:

- En el caso de las mujeres, la primera causa de esterilidad (15-25% de los casos) son los trastornos ovulatorios. Otra causa frecuente es la endometriosis, que a menudo se diagnostica en este momento, ya que suele pasar inadvertida porque se la confunde con dolores menstruales.
- En el hombre podemos destacar las anomalías en la producción de espermatozoides debidas a un daño testicular, y las anomalías de la función de los espermatozoides, por causas muy diversas.

Las posibilidades de resolución dependerán de la causa o las causas que se establezcan.

Actividades

Mapa de comparación
y contraste

14. Los cálculos biliares pueden provocar una pancreatitis. Explica cómo.

15. Explica cómo se pueden producir una embolia y una trombosis en una persona que tiene aterosclerosis, y qué efectos tienen.

16. Explica qué es un ictus isquémico e indica los dos mecanismos por los que se puede producir.

17. Ampliad vuestra información sobre las similitudes y diferencias entre la artrosis y la artritis. Podéis utilizar un **mapa de comparación y contraste**.

18. En una revisión detectan un mioma uterino a una mujer. Explica qué es un mioma uterino y di si se trata de un hallazgo preocupante.

19. ¿Cuándo un hombre puede sospechar sobre la existencia de problemas en la próstata? ¿Qué problemas podrían ser y qué gravedad presenta cada uno?

RETO 1.1
Anatomofisiología y patología de la deglución

Tarea final: Elaboración de un póster sobre la deglución y la incidencia que puede tener sobre la salud de la persona.

¿Qué sabes ahora de...?

Reflexiona y valora tus conocimientos respecto a cada una de las siguientes cuestiones:

- ¿Sabes cuáles son las tres funciones vitales de los seres vivos?
- ¿Sabes qué aparatos y sistemas consiguen que todas las células del organismo dispongan de oxígeno y nutrientes?
- ¿Sabes cómo el organismo humano capta lo que ocurre a su alrededor?
- ¿Sabes qué ocurre en el páncreas si se obstruye el conducto de salida de sus secreciones?
- ¿Sabes qué ocurre cuando se interrumpe la circulación en una parte del organismo?

 Ni idea

 Me suena

 Lo conozco

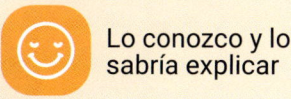 Lo conozco y lo sabría explicar

Atención sanitaria a personas en situación de dependencia

¿Qué sabes de...?

- ¿Sabes cómo se relacionan la enfermedad y la dependencia?
- ¿Sabes qué signos de deterioro físico causa la edad?
- ¿Sabes qué es un plan de cuidados estandarizado?
- ¿Sabes qué funciones tiene el personal técnico en APSD en la atención sanitaria a personas en situación de dependencia?

RETO 1

Alba empieza a trabajar como técnica en APSD

1. **El cuidado de la salud en la APSD**

2. **El plan de cuidados**

Atención sanitaria a personas en situación de dependencia

3. **Los signos de deterioro físico**

4. **El papel del personal técnico en APSD**

 2.1. El cuidado de la salud en la APSD

La atención sanitaria forma parte de la atención integral que reciben las personas en situación de dependencia.

> La **atención sanitaria en la atención a personas en situación de dependencia (APSD)** incluye todas las atenciones y cuidados necesarios para atender la salud física de las personas en situación de dependencia.

Aunque la enfermedad no está necesariamente vinculada a la situación de dependencia, es importante considerar que:

Tarea 1
Objetivos de la
atención sanitaria

- Hay enfermedades y lesiones que son causa directa de situaciones de dependencia. Por ejemplo, un traumatismo medular o las enfermedades neurodegenerativas.

- Hay enfermedades y trastornos cuya aparición se ve favorecida por algunas dependencias. Por ejemplo, una persona que tiene limitada la movilidad tendrá mayores probabilidades de sufrir estreñimiento, atrofias musculares, úlceras por presión (UPP), etc.

2.1.1. Objetivos

Las intervenciones del personal técnico se basan en proporcionar a cada persona la ayuda y las herramientas que le permitan *evitar la aparición de la dependencia o limitar su evolución* y *atender las necesidades de autocuidado*.

>> Evitar la aparición de la dependencia o limitar su evolución

Un grupo de medidas de atención sanitaria tienen como objetivo evitar que se llegue a producir una situación de dependencia, hacer que esta no se agrave o que lo haga lo más lentamente posible. Podemos diferenciar dos grupos de medidas:

- **Medidas para evitar o limitar la dependencia**. Se aplican cuando se detecta un riesgo que puede provocar o agravar una situación de dependencia. Por ejemplo, planificar ejercicios para que una persona mayor que tiene dificultades para levantar los brazos mantenga o mejore su nivel de movilidad y fuerza.

- **Medidas para controlar la dependencia**. Son medidas orientadas a reducir el ritmo de la pérdida de capacidad funcional, minimizar sus consecuencias o evitar complicaciones. Por ejemplo, realizar cambios de posición en una persona que no se puede mover, para evitar que se le formen UPP.

>> Atender las necesidades de autocuidado

> El **autocuidado** es la capacidad de las personas para realizar por sí mismas y de manera voluntaria los cuidados personales necesarios para mantener la salud, prevenir la enfermedad y atender a sus necesidades.

Las personas en situación de dependencia pueden necesitar a otras personas para que las ayuden o las sustituyan en la realización de sus actividades de autocuidado.

. . . . .
¡Tenlo en cuenta!

La atención a las necesidades biológicas necesariamente debe ir vinculada a las necesidades más personales, de los ámbitos psicológico y social, para proporcionar a la persona el máximo nivel de bienestar.

Las necesidades y actividades de autocuidado pueden ser de tres tipos:

● Las comunes a todas las personas en cualquier momento de su vida, como la alimentación, la eliminación intestinal, el sueño, etc.

● Las que aparecen en algunas etapas de la vida, como durante el embarazo, la lactancia, la vejez, la adolescencia, la menopausia, etc.

● Las que están asociadas a situaciones de enfermedad o discapacidad. Por ejemplo, la necesidad de cambiar de posición en caso de riesgo de UPP o de medirse la glucemia en caso de diabetes.

El objetivo de cualquier intervención se debe orientar a que cada persona consiga el máximo nivel de autonomía que su situación le permita, y deben respetarse sus decisiones personales.

Para conseguirlo, debemos conocer las capacidades y limitaciones de la persona. No debemos hacer por ella algo que puede hacer por sí misma, pero tampoco pedirle que se esfuerce en hacer algo que su estado físico le imposibilita hacer.

La ayuda que se preste puede ser:

● **Completa**. El o la profesional presta el cuidado integral. Este nivel de ayuda se presta cuando la persona no puede participar en las actividades de cuidado. Incluso así, es importante explicarle qué vamos a hacer y, si puede colaborar, aunque sea de forma muy limitada, explicarle cómo puede hacerlo.

● **Parcial**. El o la profesional ayuda a la persona a realizar las actividades de autocuidado. En este caso, el personal debe realizar solo aquellas acciones que la persona no pueda hacer por sí misma, y fomentar que haga todo aquello que sí pueda, prestándole solo la ayuda imprescindible.

● **Educativa de apoyo**. El o la profesional enseña pautas para alcanzar un desempeño normal, prevenir la incapacidad y promover el bienestar.

Esta ayuda incluye aspectos muy distintos, como dar pautas para que la persona siga una dieta saludable, enseñar estrategias para que pueda realizar ciertas actividades por sí misma, instruir en el uso de productos de apoyo o mostrar cómo realizar actividades de seguimiento del estado de salud (cómo medir la glucemia, cómo tomarse la tensión, etc.).

. . . . .
¡Tenlo en cuenta!

Es muy importante proporcionar a la persona la información y las herramientas necesarias para que pueda realizar actividades de autocuidado.

2.1.2. Entornos en los que se presta atención sanitaria

La atención sanitaria a personas en situación de dependencia se presta en *servicios sanitarios*, *atención sanitaria domiciliaria* y *atención residencial o en centros de día*.

›› Servicios sanitarios

Son los servicios de atención primaria (centros de salud) y los de atención especializada (hospitales y centros médicos de especialidades). En este nivel, la atención a las personas en situación de dependencia es la misma que para el resto de la población.

El personal técnico puede colaborar gestionando las visitas, acompañando a la persona, ayudándola a posicionarse en las exploraciones físicas, etc.

» Atención sanitaria domiciliaria

La atención sanitaria domiciliaria incluye dos modalidades:

● **Hospitalización domiciliaria**. Se ofrece a personas que no puedan acudir a los centros de salud o que tienen grandes dificultades para trasladarse hasta ellos. Es el caso, por ejemplo, de pacientes con procesos crónicos incapacitantes que presentan un deterioro funcional acusado o de personas que se encuentran en situación terminal.

● **Cuidados personales en la atención domiciliaria**. Incluye actuaciones sanitarias básicas, planificadas en un plan de cuidados. Por ejemplo, la realización de movilizaciones, la valoración del estado nutricional, fisioterapia, rehabilitación, seguimiento del tratamiento, etc.

› Información que proporciona el personal sanitario

En ambas modalidades, el personal sanitario que atiende a la persona proporciona orientación y apoyo a las personas que se ocupan de su cuidado, como puede ser:

● Formación sobre los **cuidados personales de salud** que requiere la persona: nutrición, masajes, administración de medicamentos, etc.

● Formación sobre **cuidados higienicosanitarios**. Mantener una higiene ambiental y una higiene personal correctas son elementos destacados en el cuidado de la salud.

Además, en la higiene personal hay aspectos especialmente vinculados a la salud que el personal técnico debe conocer y aplicar; por ejemplo, cómo actuar en caso de que la persona lleve un sondaje vesical o una colostomía, cómo cuidar la piel para prevenir o tratar las UPP, o cómo prevenir las infecciones.

● Información sobre los **recursos de atención sanitaria** disponibles: cómo comunicar incidencias, cómo solicitar información adicional, cómo registrar los datos que se deberán transmitir, etc.

● Información sobre **posibles crisis** y forma de responder ante ellas. Si el estado de salud de la persona la hace susceptible de sufrir ciertas crisis, el personal sanitario debe proporcionar la información necesaria para que la persona cuidadora sepa identificarlas y actuar. Por ejemplo, un ataque epiléptico, una pérdida de consciencia, una desorientación, un brote de violencia, etc.

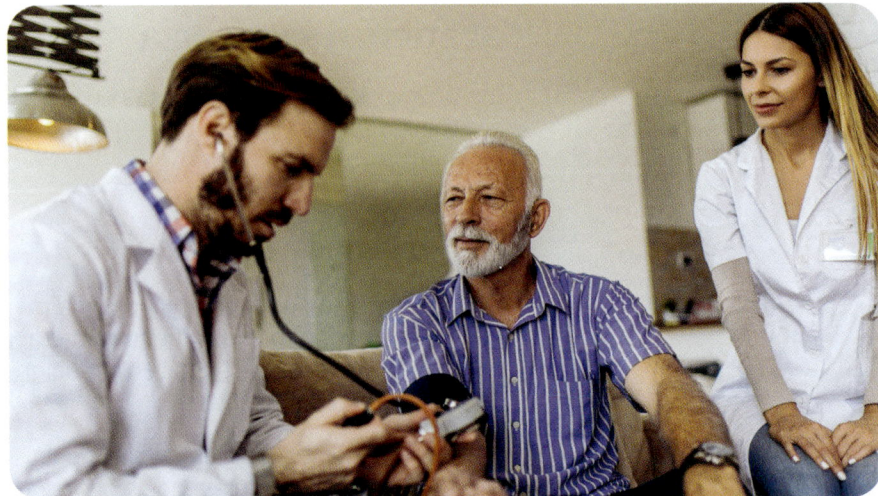

Fig. 2.1. El personal sanitario realiza las actividades que tiene planificadas y facilita a la persona responsable de la asistencia domiciliaria las instrucciones y, si corresponde, la formación necesaria para que realice y registre correctamente las actividades que tiene que realizar ella.

❯ El entorno

Los espacios, el mobiliario, las instalaciones, etc., de los centros residenciales y sanitarios están especialmente diseñados para realizar en ellos tareas de asistencia, y aplican normativas de edificación, seguridad e higiénico-sanitarias que hacen que sean entornos seguros y preparados para las tareas que se desarrollan en ellos.

La asistencia domiciliaria, en cambio, se realiza en un entorno doméstico, que a menudo requiere *adaptaciones* para poder realizar las tareas de asistencia de forma correcta y segura. También se deben valorar las *condiciones ambientales* y de *limpieza*.

● **Adaptaciones del entorno**. Las adaptaciones necesarias dependen de cada caso. Según la situación física y clínica de la persona, sus gustos y actividades, y las intervenciones que se deben realizar, se planifican los cambios necesarios para adaptar el entorno. Por ejemplo, liberar espacio en la habitación para poder circular con silla de ruedas o para situar un equipo médico junto a la cama, sustituir la bañera por una ducha, colocar un cubrecolchón antiescaras, sustituir la cama por una articulada o poner una rampa para salvar unos escalones.

● **Condiciones ambientales**. Se deben valorar las condiciones de iluminación, ruido, temperatura, ventilación, etc., para garantizar que proporcionan el confort que la persona necesita y que son adecuadas para preservar su salud y realizar las intervenciones planificadas.

● **Limpieza**. La limpieza y la desinfección del entorno y de los distintos objetos y materiales, que se detallan en el módulo de ATENCIÓN HIGIÉNICA, son otros factores clave en el cuidado de la salud.

Fig. 2.2. Uno de los objetivos de las adaptaciones del entorno es proporcionar a la persona el máximo de autonomía, dentro de sus posibilidades.

❯❯ Atención residencial o en centros de día

En los centros de día se realiza atención sanitaria de supervisión o seguimiento, que incluye básicamente:

● Administración de los medicamentos que la persona debe tomar dentro de las horas en que está en el centro.

● Cuidados básicos de enfermería, como pequeñas curas o tratamientos de fisioterapia.

En este contexto, las actividades sanitarias las suele realizar personal de enfermería o personal técnico en cuidados auxiliares de enfermería, aunque en algunos casos el personal técnico en APSD participa o se responsabiliza de algunas de ellas, siempre bajo supervisión.

Actividades

Mapa de burbujas extendidas

1. Elabora un **mapa de burbujas extendidas** que muestre y desarrolle brevemente los objetivos de la atención sanitaria a personas en situación de dependencia.

2. ¿Por qué es importante fomentar la participación de la persona, en la medida de sus posibilidades, en las actividades de cuidado de su salud?

3. Desde la perspectiva del personal técnico en APSD, explica las diferencias que encuentras en relación con la atención sanitaria entre una asistencia domiciliaria y el trabajo en una institución residencial.

4. Plantea cinco aspectos relativos al entorno o a las condiciones ambientales que influyan en el nivel de salud y el bienestar de la persona. Para cada uno, valora qué efectos negativos puede tener que no existan o no se cumplan.

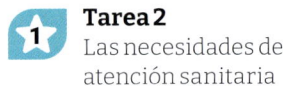 2.2. El plan de cuidados

Tarea 2
Las necesidades de atención sanitaria

Las características y necesidades de atención física varían mucho de unas personas a otras. La edad, el estado de salud, el nivel cognitivo, las capacidades motrices, etc., determinan las necesidades de la persona y la forma en que se deben atender.

La planificación de los cuidados que requiere una persona en situación de dependencia comienza valorando cuáles son sus necesidades y viendo en qué grado la persona puede atender a cada una de ellas. Con esta información se organizan las intervenciones necesarias para que todas sus necesidades queden atendidas, intentando que la persona mantenga el máximo nivel de autonomía posible.

2.2.1. El plan de cuidados de enfermería

El diagnóstico clínico y el tratamiento terapéutico los establece el personal médico que atiende a la persona en situación de dependencia. Seguidamente el personal de enfermería diseña el *plan de cuidados de enfermería*.

> El **plan de cuidados de enfermería** es un documento que recoge, para una persona concreta, los problemas detectados y que propone los objetivos e intervenciones más convenientes para resolverlos.

En el caso de que la persona vaya a recibir atención domiciliaria, el plan de cuidados incluye las instrucciones necesarias para que las personas cuidadoras puedan realizar las intervenciones correctamente.

›› La elaboración del plan de cuidados

El plan de cuidados se desarrolla en cinco etapas: *valoración*, *diagnóstico*, *planificación de la intervención*, *ejecución* y *evaluación*.

› La valoración

Consiste en recoger datos sobre la situación de salud de la persona mediante una exploración física y una entrevista, durante la cual se suelen utilizar encuestas. Estas encuestas incluyen alguna escala de valoración de la capacidad funcional, como por ejemplo el índice de Katz (Doc. 2.1). Toda la información obtenida se recopila en una **hoja de valoración** (Doc. 2.2).

 Documento 2.1.
Índice de Katz de independencia en las actividades básicas de la vida diaria

El índice se obtiene valorando si la persona es dependiente o independiente en las distintas actividades básicas de la vida diaria. El resultado se expresa con letras, desde la A hasta la G:

- **A**: independiente en todas las actividades.
- **B**: independiente en todas las actividades, salvo una.
- **C**: independiente en todas las actividades, excepto bañarse y otra actividad adicional.
- **D**: independiente en todas las actividades, excepto bañarse, vestirse y otra actividad adicional.
- **E**: independiente en todas las actividades, excepto bañarse, vestirse, usar el retrete y otra actividad adicional.
- **F**: independiente en todas las actividades, excepto bañarse, vestirse, usar el retrete, movilidad y otra actividad adicional.
- **G**: dependiente en seis de las funciones.

Para determinar si la persona es dependiente o independiente se aplican los siguientes criterios:

Actividades	Independiente	Dependiente
Bañarse	Necesita ayuda para lavarse una parte del cuerpo o lo hace sola.	Incluye la necesidad de ayuda para entrar o salir de la bañera.
Vestirse	No precisa ningún tipo de ayuda. Excluye el atado de los zapatos.	No se viste sola.
Usar el retrete	No precisa ningún tipo de ayuda.	Incluye usar orinal o cuña.
Movilidad	No requiere ayuda para sentarse o acceder a la cama.	Necesita ayuda para sentarse o acceder a la cama.
Continencia	Control completo de defecación y micción.	Incluye control total o parcial mediante enemas, sondas o el uso reglado del orinal o la cuña.
Alimentación	Se lleva la comida a la boca sin ayuda.	Incluye no comer y la nutrición parenteral o enteral por sonda.

Por ayuda se entiende la supervisión, dirección o ayuda personal activa. La evaluación debe efectuarse según lo que la persona haga y no sobre lo que sería capaz de hacer.

Documento 2.2.
Modelo de hoja de valoración

Enfermera/a: _____

Centro de salud: _____ Médico/a: _____

Apellidos: _____ Nombre: _____

N.º historia: _____ Fecha de nacimiento: _____ Fecha de inclusión: _____

Motivo de inclusión: _____ Patologías crónicas: _____

VALORACIÓN DE NECESIDADES

ALIMENTACIÓN	Cantidad de alimentos: ☐ Correcta ☐ Deficitaria ☐ Excesiva Dieta: ☐ Equilibrada ☐ No equilibrada Líquidos: _____ l/día Consumo alcohol: ☐ Sí _____ ☐ No Puede alimentarse solo/a: ☐ Sí ☐ No Sonda nasogástrica: ☐ Sí ☐ No Otros: _____
ELIMINACIÓN	Urinaria: ☐ Normal ☐ Con dificultades _____ ☐ Sonda ☐ Pañales ☐ Dispositivo externo Intestinal: ☐ Normal ☐ Con dificultades _____ Frecuencia de defecación: _____
RESPIRACIÓN	Frecuencia: _____ Ritmo: _____ ☐ Disnea ☐ Expectoración ☐ Tos ☐ Tabaco: _____ Oxigenoterapia: _____ ☐ Traqueotomía
HIGIENE/ASEO	Corporal: ☐ Correcta ☐ Incorrecta ☐ Dependiente Bucal: ☐ Correcta ☐ Incorrecta ☐ Dependiente
MOVILIDAD	Situación actual: ☐ Encamado/a ☐ Sedentario/a ☐ Ambulante Limitaciones: ☐ Dolor ☐ Silla ☐ Andador ☐ Bastón Antecedentes de caídas: _____
SUEÑO/REPOSO	Horas de sueño al día: _____ Siesta: ☐ Sí _____ ☐ No Problemas para dormir: ☐ Sí ☐ No Consumo de excitantes: ☐ Sí _____ ☐ No Somníferos/hipnóticos: ☐ Sí _____ ☐ No
SEGURIDAD	Estado de consciencia: ☐ Orientado/a ☐ Somnoliento/a ☐ Obnubilado/a ☐ Desorientado/a ☐ Comatoso/a Estado emocional: ☐ Normal ☐ Deprimido/a ☐ Apático ☐ Ansioso/a ☐ Agresivo/a Situación económica: ☐ Suficiente para sus gastos ☐ Insuficiente para sus gastos Adaptación al proceso: ☐ Aceptación ☐ Rechazo Audición: ☐ Normal ☐ Hipoacusia ☐ Sordera ☐ Audífono Visión: ☐ Normal ☐ Déficit ☐ Lentes Dolor: ☐ Ausencia ☐ Leve ☐ Moderado ☐ Intenso ☐ Intolerable
COMUNICACIÓN	Capacidad de expresión/comunicación: ☐ Correcta ☐ Limitada _____ ☐ No es posible Personas con quien se comunica: ☐ Familia ☐ Amigos ☐ Vecinos ☐ Otros _____ Ocupación del tiempo libre/aficiones: ☐ Sí _____ ☐ No Principal persona cuidadora: _____

❯ El diagnóstico de enfermería

A partir de los datos recogidos en la hoja de valoración se realiza el diagnóstico de enfermería, que es la lista de los problemas de salud y de los riesgos que se han detectado. Para cada problema o riesgo, se identifican las causas y se describen los signos y síntomas. Todo ello se presenta mediante el **formato PES**:

● **Problema**. Es el diagnóstico de enfermería, es decir, el problema o riesgo que se ha detectado.

● **Etiología**. Es la causa o las posibles causas del problema o riesgo identificado. Se expresa como *Relacionado con* (r/c).

● **Signos y síntomas**. Cita los signos y síntomas más comunes al problema identificado. Se expresa como *Manifestado por* (m/p).

Por ejemplo: dolor crónico, (r/c) proceso degenerativo muscular, (m/p) alteración en la capacidad de seguir con las actividades previas. Habitualmente en la valoración se detectan varios problemas; para cada uno se realiza el mismo proceso.

❯ La planificación de la intervención

Para cada uno de los problemas o riesgos se determinan los cuidados necesarios para resolverlo, controlarlo o retrasar su aparición. La planificación se realiza en tres pasos:

1. **Establecimiento de prioridades**. Se observan distintos diagnósticos y se valora la prioridad de cada uno. El problema más urgente requerirá cuidados de forma prioritaria.

2. **Definición de objetivos**. Para cada diagnóstico se definen unos objetivos, para un plazo de tiempo determinado y teniendo en cuenta las prioridades establecidas en el punto anterior.

3. **Elaboración del plan de actividades**. Se describen las actividades que se van a realizar para conseguir los objetivos planificados.

 Documento 2.3.
Codificación de diagnósticos, resultados y actividades de enfermería

El plan de cuidados de enfermería se puede realizar utilizando un sistema de codificación. En este sistema, los diagnósticos, los objetivos y las intervenciones están codificados en unas listas.

● **Diagnóstico**: etiquetas **NANDA** (*North American Nursing Diagnosis Association*). Hay una lista codificada de los problemas que se pueden detectar (diagnósticos). Por ejemplo: «Desequilibrio nutricional por exceso» es el código 00001. Es habitual completar el diagnóstico añadiendo r/c (relacionado con) y m/p (se manifiesta por).

● **Objetivos**: resultados de enfermería **NOC** (*Nursing Outcomes Classification*). Para cada etiqueta NANDA (diagnóstico) hay una lista codificada de los objetivos que se pueden plantear. Por ejemplo: «Conducta de pérdida de peso».

● **Actividades**: intervenciones enfermeras **NIC** (*Nursing Interventions Classification*). Consiste en una lista codificada de las intervenciones de enfermería que ayudan a conseguir cada objetivo. Por ejemplo: «Establecer un plan de ejercicio de acuerdo con sus posibilidades».

> La ejecución

Es la puesta en práctica de los procedimientos establecidos en el plan de cuidados. En esta fase el personal técnico participa de forma activa, realizando las actividades que tenga asignadas, siempre siguiendo las pautas establecidas por el personal de enfermería. El DOCUMENTO 2.4 muestra algunas de las actividades en que puede participar el personal técnico.

Documento 2.4.
Actividades que realiza o en las cuales participa el personal técnico

Necesidad	Actividades	
De respirar:	• Oxigenoterapia • Medición de constantes vitales	• Educación respiratoria • Fisioterapia respiratoria
De eliminación:	• Colocación de cuña y botella • Fisioterapia de suelo pélvico • Higiene • Medición de la diuresis	• Administración de enemas • Colocación de pañales • Enseñanza de autocuidados
De vivir según creencias y valores:	• Asistencia ante la muerte	
De comer y beber:	• Alimentación por vía oral • Alimentación por vía parenteral • Alimentación por vía enteral	• Seguimiento del peso • Enseñanza de autocuidados
De moverse y mantener una buena postura:	• Movilizaciones • Ayuda en la deambulación	• Cambios posturales • Ayuda en el traslado
De mantener la temperatura corporal:	• Toma de temperatura • Aplicación de calor	• Aplicación de frío
De descansar y dormir:	• Medidas para el apoyo al dormir • Higiene de la cama y la ropa • Higiene de la persona usuaria	• Arreglo de la cama • Masajes relajantes
De vestir ropas adecuadas:	• Colaborar en la selección de las prendas adecuadas	• Ayudar a vestirse y desvestirse • Higiene de la ropa
De mantener la piel limpia y protegida:	• Baño en cama • Ayuda en la ducha y en el baño	• Aseos parciales
De evitar los peligros:	• Prevención de riesgos físicos • Prevención de infecciones • Educación sanitaria	• Prevención de accidentes durante las movilizaciones

> La evaluación

Al elaborar el plan de actividades se debe plantear también cómo y en qué momento se va a hacer el seguimiento de cada actividad para evaluar si están logrando los objetivos.

Cuando se detecta que una actividad no está resultando efectiva para conseguir el objetivo planificado, se debe comprobar que se está realizando correctamente, si es necesario aplicar alguna modificación en el procedimiento o en la frecuencia, si es conveniente sustituir la actividad por otra u otras, o si el problema es que el objetivo no es realista. La evaluación formal, con el equipo sanitario, se ha de realizar con la frecuencia establecida, pero es necesario ir haciendo una valoración continuada, para detectar de forma precoz si las actividades están siendo efectivas o no.

En esta fase es importante la actuación del personal técnico porque, al estar en contacto permanente con la persona usuaria, puede apreciar los cambios y ver si la evolución es la esperada o si está fallando algo. En caso de detectar que no se están produciendo las mejoras previstas o que existe algún tipo de empeoramiento, debe comunicarlo al personal sanitario, mediante el procedimiento que hayan establecido.

❯❯ Los planes de cuidados estandarizados

Fig. 2.3. Los planes estandarizados se elaboran para los diagnósticos de enfermería más frecuentes.

La elaboración de un plan de cuidados para cada persona sin disponer de referencias supone un cierto riesgo de que se puedan producir omisiones o errores. Para proporcionar mayor seguridad en la elaboración de los planes, los centros sanitarios disponen de *planes de cuidados estandarizados*.

> Los **planes de cuidados estandarizados** son planes que establecen protocolos de actuación para grupos de pacientes que tienen un mismo diagnóstico.

Un ejemplo puede ser un plan de cuidados estandarizado para personas con estreñimiento. (Doc. 2.5)

Estos planes ofrecen las máximas garantías, ya que se elaboran y evalúan de forma colectiva, y están ampliamente probados. El personal de enfermería, tras efectuar la valoración de la persona y obtener los diagnósticos, toma los planes estandarizados que correspondan a esos diagnósticos de enfermería como referencia para elaborar el plan de cuidados personalizado.

 Documento 2.5.
Plan de cuidados estandarizado para un problema de estreñimiento

Problema: estreñimiento

Definición: Estado en que la persona experimenta un cambio en sus hábitos intestinales normales, caracterizado por una disminución en la frecuencia de las deposiciones o por heces duras y secas.

Factores relacionados (r/c)

- Ausencia de un plan que facilite la defecación.
- Ausencia de un plan de ejercicios moderados y regular en pacientes con déficit de movilidad.
- Dieta inadecuada/deshidratación.
- Falta de intimidad.

Características definitorias (m/p)

- Deposiciones duras y secas.
- Frecuencia inferior al patrón habitual.
- Disminución de los ruidos intestinales.
- Sensación de plenitud rectal.
- Esfuerzo y dolor en la defecación.
- Sensación de evacuación insuficiente.

Objetivos:

- Recupera su hábito intestinal normal.
- Identificar la relación que hay entre sus hábitos higiénico-dietéticos y su patrón intestinal actual.
- Desarrollar las habilidades necesarias para eliminar, reducir o controlar las causas del problema.
- Integrar en su vida cotidiana los cambios propuestos.

Plan de intervenciones:

Área de dependencia: conocimiento

- Educación para la salud sobre:
  - Alimentación e hidratación adecuadas.
  - Reflejo gastrocólico.
  - Uso inadecuado de los laxantes.
  - Ejercicio adecuado al estado del paciente.
  - Conveniencia de procurar la intimidad durante las defecaciones: cerrar la puerta, ventilar la habitación o usar un ambientador para neutralizar los olores, poner la TV o la radio para encubrir los ruidos, etc.
  - Maniobras para disminuir el dolor durante la defecación: aconsejar el uso de lubricantes, usar compresas frías y baños de asiento, etc.

Área de dependencia: fuerza física

- Fomentar la movilidad:
  - Adiestrar en el uso de recursos externos para la deambulación (bastones, muletas, etc.).
  - Adiestrar y diseñar conjuntamente una tabla de ejercicios estáticos.
- Adiestrar para evitar la aparición de fecalomas reiterativos o para evacuarlos:
  - Se adiestrará a un cuidador en técnica manual de extracción, o bien en administración de enemas de limpieza.
  - Fomentar el uso del inodoro con las caderas y rodillas flexionadas (apoyando los pies en un taburete bajo) a fin de adoptar una posición cercana a la de semicuclillas. Si no es posible, usar la cuña, colocando a la persona en la posición más cómoda y fisiológica posible.

Área de dependencia: fuerza psíquica

- Elaborar conjuntamente un plan que incluya todos los conocimientos y habilidades adquiridos para solucionar los factores relacionados.

Área de dependencia: voluntad

- Introducir de forma progresiva el plan pactado.
- Elogiar en todo momento los logros obtenidos y el esfuerzo realizado.

2.2.2. El plan individualizado de atención integral

Los centros residenciales y algunos centros de día elaboran para cada una de las personas que atienden un *plan de atención individualizado*.

> El **plan de atención individualizado (PAI)** es el documento en el que se detallan las necesidades, los objetivos de intervención y las acciones previstas para la atención individualizada de la persona usuaria.

El plan parte de una valoración del estado de salud psicofísico, funcional y social, para determinar las necesidades de la persona en todos los ámbitos.

El plan se estructura en diversas áreas. Cada centro o servicio tiene su propia ordenación, aunque es habitual establecer las siguientes áreas: social, sanitaria, psicológica, funcional y de animación sociocultural.

Para cada área se establecen los problemas, objetivos, intervenciones y forma de seguimiento, así como el equipo profesional responsable de cada actividad. Para las actividades sanitarias, el plan incluirá los planes de cuidados elaborados por el personal de enfermería.

Cada persona, por tanto, tendrá una serie de diagnósticos en las distintas áreas y, para cada uno de ellos, unos objetivos y unas actividades planificados.

¡Tenlo en cuenta!

Existen diferentes terminologías para designar el plan individualizado: *plan de atención individualizada* (PAI), *plan individualizado de atención integral* (PIAI) o *plan de atención y apoyo*.

 El plan de atención individualizada

 Modelo de PAI

Actividades

5. Las características y necesidades de atención sanitaria de las personas en situación de dependencia pueden ser muy diversas. Para cada una de las situaciones siguientes, indica algunas necesidades que tendrá cada una de las personas señaladas en el ámbito sanitario.

Caso	Algunas necesidades en el ámbito sanitario
Persona con movilidad muy limitada en las manos	----------
Persona de edad avanzada con déficit cognitivo	----------
Persona que debe permanecer encamada	----------
Persona que tiene una enfermedad neurodegenerativa	----------
Persona a la que se ha tenido que amputar una pierna	----------

6. Consigue un plan de cuidados de enfermería estandarizado y responde:

   a) ¿Qué diagnósticos de enfermería recoge?

   b) ¿Incluye factores relacionados (r/c)? ¿Qué utilidad crees que tiene hacer constar estos factores?

   c) Selecciona un diagnóstico e identifica los objetivos y las intervenciones que le corresponden.

   d) ¿Qué es el NIC? ¿En qué parte del documento aparece?

   e) Localiza las intervenciones en las que el personal técnico en ASPD podrá intervenir.

7. Lee el Documento 2.5, referente al estreñimiento.

   a) ¿Te parece interesante que existan fichas estandarizadas como esta para los problemas más comunes? ¿Qué beneficios proporcionan?

   b) ¿Crees que esta ficha, tal cual, se debería aplicar a cualquier persona residente que sufra estreñimiento? Justifica tu respuesta.

2.3. Los signos de deterioro físico

Las personas cuidadoras, por su proximidad y por el tiempo que pasan con la persona a que atienden, tienen más oportunidades que otros u otras profesionales para detectar ciertos signos de deterioro físico de la salud y para hacerlo de forma precoz.

Tarea 3
Detectar signos de deterioro físico

Es necesario valorar de forma continua el estado de salud para detectar si hay cambios en el nivel de movilidad, el apetito, el grado de independencia, las deposiciones, etc. Si observamos alteraciones debemos comunicarlas al personal sanitario responsable.

2.3.1. Deterioro físico debido a la edad

A medida que las personas se hacen mayores, se produce un deterioro en el funcionamiento de los distintos sistemas de su organismo. Algunas de las manifestaciones más habituales de este deterioro son las siguientes:

- **Incontinencia urinaria**. La pérdida de la capacidad de controlar los esfínteres es un trastorno habitual que afecta a gran parte de la población de edad avanzada. Hay que tener en cuenta que en algunos casos existen tratamientos eficaces.

- **Alteraciones de la vista y el oído**. Se produce una pérdida de las capacidades auditiva y visual. A menudo la deficiencia se puede subsanar mediante cirugía o con dispositivos como gafas y audífonos.

- **Malnutrición y deshidratación**. Son trastornos habituales en personas de edad avanzada. Las causas pueden ser muy variadas, aunque generalmente están relacionadas con un funcionamiento deficiente de los aparatos digestivo y urinario.

- **Enfermedades osteoarticulares**. Se deben al desgaste de los huesos y las articulaciones y provocan dolor y dificultades en la movilidad. Las más habituales son la osteoporosis y la artrosis.

- **Enfermedades vasculares**. En muchos casos se producen como consecuencia de la hipertensión o la arteriosclerosis.

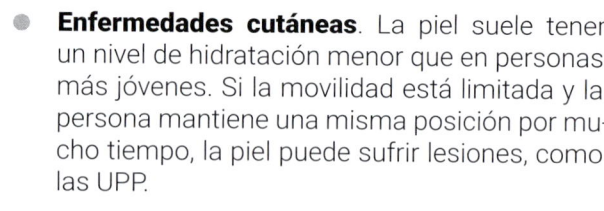

- **Enfermedades cutáneas**. La piel suele tener un nivel de hidratación menor que en personas más jóvenes. Si la movilidad está limitada y la persona mantiene una misma posición por mucho tiempo, la piel puede sufrir lesiones, como las UPP.

- **Dolor**. La mayoría de las personas mayores sufren dolor en alguna parte de su cuerpo, y esta es una de sus quejas más habituales.

- **Depresión**. Es una manifestación muy presente pero que a menudo no se diagnostica en personas mayores.

- **Demencias**. Suponen el deterioro progresivo de las funciones cognitivas superiores.

Fig. 2.4. La vejez implica un deterioro físico. La afectación y la rapidez del deterioro dependen de cada persona.

2.3.2. Deterioro físico debido a una enfermedad

Algunas enfermedades, independientes de las que puedan estar causando la dependencia, pueden provocar un deterioro físico. Cuando la persona es joven o de mediana edad y tiene plenas capacidades mentales, explica los cambios en su estado, y se establece un diagnóstico y un tratamiento.

En el caso de personas de edad avanzada o con trastornos cognitivos, en cambio, puede ocurrir que estas enfermedades pasen inadvertidas. Se asume que su estado de salud se va deteriorando y ello puede provocar que no se identifiquen las manifestaciones clínicas debidas a una enfermedad que no tiene relación directa con la causa de dependencia. Así, enfermedades que pueden ser tratables no se llegan a diagnosticar. (Doc. 2.1)

Todo ello hace necesario que las personas más cercanas, que están en mejor situación para percibir cualquier cambio, presten especial atención y comuniquen al personal sanitario las alteraciones que detecten, especialmente cuando estas muestren una evolución rápida.

2.3.3. Deterioro físico debido a la inmovilidad

La falta de movimiento puede provocar un deterioro de la salud en distintos ámbitos, que pueden afectar a distintos aparatos del organismo:

- **Aparato locomotor**. La inmovilidad produce una pérdida de masa muscular, atrofias musculares, contracturas, rigidez y dolor articular.
- **Aparato respiratorio**. La falta de actividad física hace que la capacidad respiratoria disminuya. Además, provoca dificultades para expulsar las secreciones respiratorias y supone un mayor riesgo de sufrir infecciones respiratorias.
- **Aparato urinario**. La inmovilidad provoca retención de orina y un mayor riesgo de sufrir cálculos renales e infecciones urinarias.
- **Aparato digestivo**. La falta de movimiento causa estreñimiento.
- **Aparato cardiovascular**. La falta de actividad física supone un mayor riesgo de sufrir enfermedades cardiovasculares.
- **Piel**. Tiene una mayor fragilidad y existe riesgo de sufrir UPP.

Es importante intervenir para prevenir estos problemas y actuar rápidamente si se detectan, para preservar el nivel de salud de la persona.

 Actividades   Infografía

8. Elabora una **infografía** sobre los signos de deterioro de la salud en personas en situación de dependencia.

9. Cita cinco signos de deterioro de la salud asociados a la edad y valora los efectos que pueden tener en una persona con plenas capacidades cognitivas.

10. La inmovilidad puede afectar a distintos aparatos del organismo. Cita cinco manifestaciones clínicas que pueden derivar de la inmovilidad y, para cada una de ellas, propón una medida que puedan ayudar a evitarla.

2.4. El papel del personal técnico en APSD

La competencia general de ese ciclo formativo, según establece el Real Decreto 1593/2011, «consiste en atender a las personas en situación de dependencia, en el ámbito domiciliario e institucional, a fin de mantener y mejorar su calidad de vida, realizando actividades asistenciales, no sanitarias, psicosociales y de apoyo a la gestión doméstica, aplicando medidas y normas de prevención y seguridad, y derivándolas a otros servicios cuando sea necesario».

Por tanto, las actividades propiamente sanitarias quedan fuera de las funciones que se atribuyen al personal técnico en APSD. Esto significa que siempre hay un equipo sanitario responsable de la salud de la persona en situación de dependencia, el cual establece los tratamientos, controles y cuidados específicos que necesita.

2.4.1. Actividades asistenciales

Tarea 4
Las actividades asistenciales que realiza el personal técnico en APSD

Las tareas en el ámbito sanitario del personal técnico en APSD se limitan a aquellas que la persona en situación de dependencia realizaría por sí misma, si pudiera, y se llevan a cabo siempre bajo la indicación y el control del personal sanitario responsable.

En el entorno residencial, esta función queda muy limitada, ya que hay personal sanitario que atiende a las personas residentes. En la atención domiciliaria, en cambio, puede ser necesaria una intervención más destacada a este nivel: administrar medicamentos, tomar la temperatura, medir la glucemia y administrar insulina, etc.

›› Actividades más habituales

Entre las actividades de tipo sanitario que desempeña el personal técnico en APSD, especialmente en la atención domiciliaria, podemos destacar:

- Los **cambios posturales**, para evitar que la persona sufra lesiones derivadas de la inmovilidad prolongada.

  En el caso de personas que tienen úlceras por presión o que tienen un riesgo elevado de tenerlas, los cambios posturales se realizan de forma planificada, siguiendo las indicaciones que proporciona el personal de enfermería responsable.

- Los **controles y seguimientos del estado de salud** que determine el equipo sanitario. Por ejemplo, tomar la temperatura, medir el nivel de glucosa en sangre, tomar la tensión arterial u observar la evolución de una lesión cutánea. En este caso, la información recopilada se debe registrar y comunicar siguiendo las instrucciones del personal sanitario.

- La **aplicación de tratamientos no farmacológicos**. Por ejemplo, ayudar a realizar ejercicios indicados por el personal sanitario o aplicar frío o calor.

- El **seguimiento del tratamiento farmacológico**, para garantizar que la persona sigue la pauta de medicación que le han prescrito y, si es necesario, administrarle los medicamentos o ayudarla a tomarlos. El control y el registro son especialmente importantes en este caso.

● La **ayuda en la alimentación**, siguiendo las pautas de elaboración de platos o preparando los menús que corresponda, y también ayudando en la ingesta de los alimentos, si corresponde.

Otra actividad de ayuda en la alimentación es la nutrición por vía enteral mediante una sonda nasogástrica, que se utiliza en el caso de personas que no pueden deglutir normalmente los alimentos.

El personal técnico debe recibir instrucciones detalladas sobre cualquier intervención de este tipo que deba realizar y, si es el caso, la formación necesaria para llevarla a la práctica de forma correcta. También debe recibir información sobre la forma en que debe registrar cada una de las intervenciones y, si corresponde, los documentos o archivos que debe usar para hacerlo.

» Intervención en los PAI

El personal técnico en APSD interviene en la *valoración y detección de necesidades*, la *ejecución del plan de cuidados* y el *registro de las actuaciones efectuadas*.

› Valoración y detección de necesidades

El personal técnico en APSD es quien está en contacto con la persona usuaria durante más tiempo y de una forma más cercana, por lo que también es quien tiene más oportunidades de identificar sus necesidades o de detectar cambios en ellas. Por esta razón, es muy importante prestar atención a cualquier cambio e informar al respecto.

› Ejecución del plan de cuidados

En la mayoría de los centros, la forma de aplicar los cuidados habituales está protocolizada, es decir, descrita y secuenciada de manera objetiva para garantizar que todos los procedimientos se aplicarán siempre de la misma manera, independientemente del profesional que lo haga.

Cada institución elabora sus propios protocolos. En lo que concierne a la atención sanitaria, la mayoría de ellas disponen de protocolos para:

Modelo de protocolo para lesiones por presión

● Incontinencias.

● Caídas.

● Lesiones por presión.

● Administración de la medicación.

● Actuación ante el dolor.

● Actuación ante infecciones.

● Alimentación y nutrición.

● Acompañamiento a la muerte.

El personal que trabaja en centros asistenciales debe conocer y aplicar los protocolos que estén establecidos en ellos.

En el caso de la asistencia domiciliaria, el o la profesional de referencia instruye sobre la forma de llevar a cabo cada actuación de tipo sanitario y, si lo considera oportuno, entrega la documentación informativa o el protocolo que se deba aplicar.

❯ El registro

Todas las intervenciones realizadas se deben registrar y, si es necesario, anotar las incidencias que se puedan haber producido durante su ejecución. Este requisito se aplica a todas las intervenciones, pero es especialmente importante en el caso de las relativas al ámbito sanitario.

Los documentos de registro pueden ser impresos, aunque cada vez es más común que estén informatizados, formando parte del sistema informático del centro. Los registros constituyen un elemento básico de las actuaciones de atención sanitaria, ya que permiten:

- Compartir información entre el personal y facilitar el trabajo interdisciplinario.
- Comparar la evolución en el tiempo de diferentes aspectos del trabajo.
- Supervisar la realización de las tareas.
- Detectar la existencia de anomalías en la prestación de los cuidados.
- Facilitar la evaluación continua del plan de cuidados.

En la atención domiciliaria, el o la profesional de referencia facilita, si es necesario, una ficha o modelo para que las personas cuidadoras anoten los datos que corresponda, en formato físico o digital. Estas fichas sirven como registro y control, y también como pauta para que la persona cuidadora realice la intervención. (Doc. 2.6)

Documento 2.6.
Modelo de registro de administración de medicamentos

Nombre: **Habitación / Cama:** **Fecha:**

Medicamento	Desayuno	Media mañana	Comida	Merienda	Cena
OMEOPRAZOL ALMUS 20 mg 28 cápsulas duras gastrorresistentes EFG	1 cáps.				
TORASEMIDA TARBIS 50 mg 30 comprimidos EFG			1 compr.		
BISOPROLOL NORMAON 5 mg 60 comprimidos recubiertos EFG					1 compr.

Observaciones:

2.4.2. Promoción del autocuidado

Tarea 5
La promoción del autocuidado

El personal que presta una atención directa a las personas en situación de dependencia desempeña un papel destacado en la promoción del autocuidado. En este sentido, algunas de las actuaciones y actitudes que debe promover son las siguientes:

- Concienciar a la persona para que se responsabilice de su propia salud, promocionando la adopción de estilos de vida saludables y la aplicación de medidas de prevención.

- Ayudar a la persona a alcanzar el máximo nivel de autocuidado posible, enseñándole a realizar sus propios cuidados. Si corresponde, proporcionarle ayudas técnicas y enseñarle a utilizarlas.

- Proporcionar a familiares u otras personas del entorno los conocimientos y pautas necesarios para que puedan ayudar a las personas en situación de dependencia.

Actividades

Vídeo

11. Explica cuáles son las funciones del personal técnico en APSD en materia de atención sanitaria.

12. ¿Qué utilidad tienen los registros? Expón los beneficios que se derivan de su uso.

13. Consigue un plan de cuidados de enfermería estandarizado. Léelo y responde:

   a) Valora, punto por punto, cuál debe ser la participación del personal técnico en APSD. Diferencia las funciones según se trate de atención domiciliaria o residencial.

   b) En el caso de una atención domiciliaria, valora para cada intervención si sería necesario que el o la profesional recibiera alguna formación o entrenamiento específicos.

14. Una persona a la que atiendes no tiene interés en las instrucciones que le das relativas a actividades de autocuidado. Dice que si ya te ocupas tú no vale la pena que ella pierda el tiempo en esto. Graba un **vídeo** o un audio en el que le expliques por qué es importante que ella sepa cómo realizar su autocuidado.

RETO 2.1
Alba empieza a trabajar como técnica en APSD

Tarea final: Elaboración de un póster sobre las funciones relacionadas con el cuidado de la salud que realiza el personal técnico en APSD.

¿Qué sabes ahora de...?

Reflexiona y valora tus conocimientos respecto a cada una de las siguientes cuestiones:

- ¿Sabes cómo se relacionan la enfermedad y la dependencia?
- ¿Sabes qué signos de deterioro físico causa la edad?
- ¿Sabes qué es un plan de cuidados estandarizado?
- ¿Sabes qué funciones tiene el personal técnico en APSD en la atención sanitaria a personas en situación de dependencia?

 Ni idea    Me suena    Lo conozco   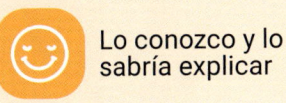 Lo conozco y lo sabría explicar

3 Intervenciones relativas a la movilidad

¿Qué sabes de...?

- ¿Sabes con qué objetivos se realizan las movilizaciones?
- ¿Sabes cómo colocar a una persona encamada en decúbito lateral?
- ¿Sabes qué funciones tienen los cinturones de traslado?
- ¿Sabes qué estrategias adoptar para bajar un escalón trasladando a una persona en silla de ruedas?
- ¿Sabes cómo enseñar a alguien a usar un andador?

 RETO 1

Participación en el
*I Concurso de apoyos
a la movilidad*

 RETO 2

¿Cómo atender las
necesidades de movilidad
de una persona que
ha sufrido un ictus?

1. **La necesidad de movimiento**

2. **La mecánica corporal**

5. **Ayuda a la deambulación**

Intervenciones relativas a la movilidad

4. **Los traslados**

3. **Las movilizaciones**

3.1. La necesidad de movimiento

> La **movilidad** es la capacidad que tiene una persona para desplazarse de un lugar a otro de forma autónoma.

Esta capacidad es una condición necesaria para una completa autonomía personal. Además, la movilidad aporta beneficios para el correcto funcionamiento del organismo.

3.1.1. La inmovilidad

> La **inmovilidad** es una situación en la que la capacidad de movimiento se ha perdido o ha quedado disminuida.

Existen dos tipos de inmovilidad:

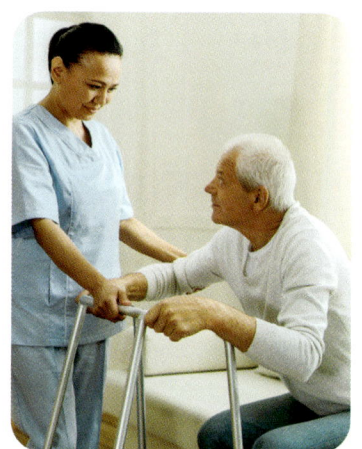

Fig. 3.1. La prioridad en los casos de inmovilidad relativa es conseguir mantener al máximo el nivel de autonomía.

- **Inmovilidad relativa**. La persona tiene dificultades para realizar las actividades de la vida diaria (AVD), pero puede realizarlas con cierta normalidad si dispone de ayuda o de productos de apoyo. Por ejemplo, puede tener dificultades para caminar, pero ser capaz de desplazarse autónomamente usando un andador. En la atención a personas que tienen una inmovilidad relativa, la prioridad es facilitarles los recursos y estrategias que les permitan mantener el máximo nivel de autonomía posible y prevenir o retardar un deterioro de su salud.

- **Inmovilidad absoluta**. Implica un encamamiento crónico y es una situación que presenta muchas complicaciones, tanto físicas como mentales y sociales.

3.1.2. Intervenciones relativas a la movilidad

Las personas que tienen dificultades para realizar ciertos movimientos o que no pueden mantener ciertas posiciones corporales tienen necesidades que se manifiestan en distintos niveles: fisiológico, de autocuidado, de capacidad de llevar a cabo sus AVD, etc. La atención integral a estas personas requiere detectar sus necesidades y buscar la mejor forma de dar respuesta a todas ellas.

›› Objetivos de las intervenciones

El conjunto de intervenciones relativas a la movilidad se planifica teniendo en cuenta cuatro objetivos básicos:

- **Atención a problemas fisiológicos relacionados con la inmovilidad y las úlceras por presión (UPP)**. Dependiendo del estado de salud y de la evolución prevista, se valoran los riesgos para la salud y se planifican medidas para prevenirlos o mitigarlos.

- **Mejorar la capacidad de la persona para desenvolverse de forma autónoma**. Es importante enseñarle a mantener una posición correcta y a realizar los movimientos que puede hacer de forma segura.

- **Ayuda en las actividades relacionadas con el movimiento que la persona no puede ejecutar por sí misma**. En algunos casos es necesario que alguien se ocupe de estas actividades, en otras se proporcionan productos de apoyo que le permitan hacerlas ella misma.

● **Ayuda en las AVD** (comer, lavarse, ducharse, etc.) que la persona no pueda realizar de forma autónoma.

Como en cualquier intervención en la atención a personas en situación de dependencia, en las relativas a la movilidad es básico establecer qué necesidades tiene la persona y prestarle el nivel de ayuda que necesite, fomentando en lo posible su autonomía.

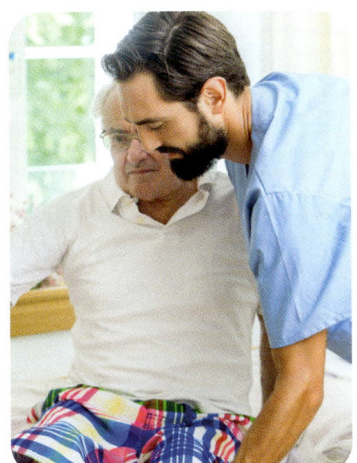

Tarea 1
Comprender la situación de Laura

>> Las intervenciones

Las actuaciones referentes a la movilidad pueden clasificarse en tres categorías:

● **Movilización**. Consiste en mover o desplazar a la persona usuaria. Puede ser de dos tipos:

  ○ **Reposicionamientos**. Se trata de cambiar a la persona de posición sin moverla de la superficie en la que está. Por ejemplo, incorporarla en la cama para que pueda comer, reposicionarla en la silla de ruedas si se ha deslizado hacia abajo, cambiarla de posición en la cama para prevenir la aparición de UPP, etc.

  ○ **Transferencias**. Se trata de mover a la persona de una superficie a otra. Por ejemplo, de la cama a una silla de ruedas o de una silla de ruedas a un sillón.

● **Traslado**. Consiste en llevar a la persona de un lugar a otro. Los traslados se realizan básicamente en sillas de ruedas o camillas.

● **Ayuda a la deambulación**. Consiste en ayudar a la persona a desplazarse de un lugar a otro. La ayuda la podemos prestar otras personas (sujetando y acompañando) o la pueden prestar productos como bastones o muletas.

Fig. 3.2. Las tansferencias consisten en mover a la persona de una superficie a otra.

3.1.3. Los productos de apoyo

En la mayoría de las situaciones en las que debemos mover a una persona o ayudarla para que realice un determinado movimiento utilizamos productos que facilitan las tareas, haciendo que se requiera menos esfuerzo físico y aumentando la seguridad.

> Los **productos de apoyo** son instrumentos que se usan para optimizar el funcionamiento y reducir la discapacidad de las personas.

La definición incluye tanto los productos que utiliza la persona en situación de dependencia por sí misma, como los que requieren la asistencia de otra persona para su manejo.

Estos productos están regulados por la Norma UNE-EN-ISO 9999, que incluye un apartado dedicado a los productos de apoyo para la movilidad personal. A lo largo de la unidad veremos distintos productos de apoyo. Algunos ejemplos de ellos son las sillas de ruedas, los bastones, las grúas, etc.

¡Tenlo en cuenta!

En la página web del Centro Estatal de Autonomía Personal y Ayudas Técnicas (CEAPAT) se puede consultar un catálogo de productos de apoyo.

3.1.4. Las prótesis

Existen muchos tipos de prótesis, aunque en relación con la movilidad destacamos las internas y externas. Las internas se colocan mediante cirugía y las más comunes son las articulares, como las de cadera o rodilla. Las externas, en cambio, se colocan en el exterior del cuerpo, para reemplazar una extremidad o un segmento de esta que ha sido amputado.

El uso de prótesis externas requiere un cuidado especial de la piel en la zona del muñón, y una limpieza, desinfección y mantenimiento correctos de la prótesis.

❯❯ El cuidado de la piel

La piel de la zona del muñón va a soportar el encaje de la prótesis, por lo que es importante cuidarla de forma especial, siguiendo las indicaciones que facilite el personal sanitario. Los principales problemas de salud que pueden surgir en esta zona son:

- Irritación de la piel o formación de ampollas, por fricción entre la piel y la prótesis.

- Formación de UPP, debidas a una presión continua de la prótesis sobre ciertas zonas de la piel.

- Infecciones fúngicas, debido a que entre la prótesis y la piel se acumula sudor y se forma un ambiente húmedo que favorece la proliferación de hongos.

Para prevenirlos es importante, como pautas generales:

- Lavar y secar muy bien la zona. Es muy importante que no permanezca húmeda.

- Aplicar un producto hidratante por la noche, cuando la prótesis va a estar retirada durante unas horas.

- Examinar diariamente la piel, para detectar precozmente cualquier problema en ella.

❯❯ El cuidado de la prótesis

Existen distintos tipos de prótesis y es necesario seguir las instrucciones de la empresa fabricante para su limpieza y mantenimiento.

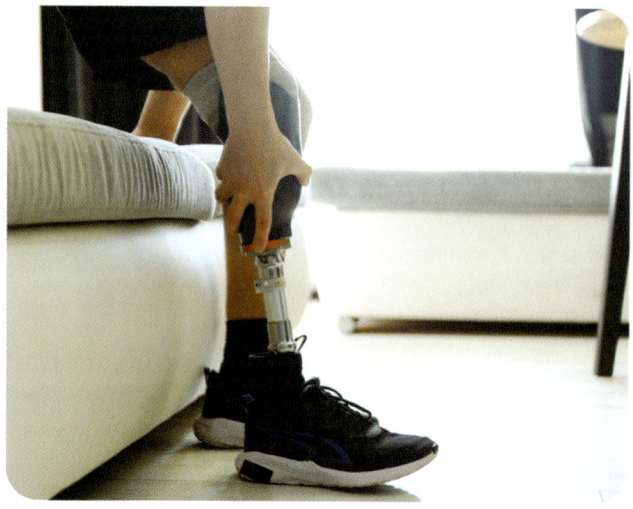

En todos los casos es necesario realizar una limpieza diaria, preferiblemente tras la retirada por la noche. La técnica que se suele aplicar es la de limpieza por loción, frotando cuidadosamente todas las superficies con un paño humedecido con el producto que recomiende el fabricante.

Una vez limpia, la prótesis se guarda hasta el día siguiente en un lugar seguro del cual no pueda caerse, protegido del polvo y que no tenga humedad ni una temperatura elevada.

Fig. 3.3. La limpieza y mantenimiento de las prótesis deben realizarse siguiendo escrupulosamente las instrucciones del fabricante y las pautas que indique el personal sanitario.

Actividades

1. Explica los conceptos de cambio postural, transferencia y traslado, de manera que quede muy clara la diferencia entre ellos.

2. Entra en el catálogo de productos de la página web del CEAPAT. Localiza los productos de apoyo para la movilidad personal e indica qué grupos de productos están incluidos en esta categoría. Pon tres ejemplos de cada grupo.

3. En parejas, elaborad un cuestionario para valorar el nivel de ayuda en materia de movilidad que necesita una persona. Pensad qué información será más importante conocer para poder establecer qué intervenciones se deberán llevar a cabo, preservando en lo posible su autonomía.

4. Una persona lleva una prótesis de pierna, sujeta bajo su rodilla. Explica cómo deberás cuidar la prótesis y la piel de la persona.

 ## 3.2. La mecánica corporal

La atención a personas en situación de inmovilidad absoluta o relativa requiere un esfuerzo físico por parte de las personas cuidadoras, lo que puede causarles lesiones musculoesqueléticas. Estas lesiones afectan sobre todo a la espalda (lumbalgia, hernias discales, etc.) y también pueden producir sobrecarga en las extremidades, especialmente en los brazos. Para reducir el riesgo de sufrir lesiones es importante aplicar los principios de *mecánica corporal* en cualquier maniobra de movilización.

> La **mecánica corporal** es la disciplina que estudia las posiciones que se deben adoptar y los movimientos que se deben aplicar al realizar las distintas actividades para mantener el equilibrio y minimizar el riesgo de sufrir lesiones musculoesqueléticas.

Fig. 3.4. Las movilizaciones suponen un esfuerzo físico, que a menudo se realiza en posiciones incorrectas. Aplicar los principios de mecánica corporal ayuda a reducir el riesgo de sufrir lesiones.

3.2.1. Componentes de la mecánica corporal

La mecánica corporal depende de tres factores: la *postura o alineación corporal*, el *equilibrio o estabilidad* y la *coordinación del movimiento*.

- **Postura o alineación corporal**. La postura es correcta cuando las articulaciones están en semiflexión, la columna recta y los hombros y las caderas paralelos. Esta situación se debe mantener estando en cualquier postura, tanto de pie como sentado o agachado.

- **Equilibrio**. Estando de pie se consigue mejorar el equilibrio:
  - Separando un poco los pies para aumentar la base de apoyo.
  - Flexionando un poco las caderas y las rodillas para acercar el centro de gravedad a la base de apoyo.

- **Coordinación del movimiento**. Los movimientos que haga la persona usuaria deben ser coordinados y suaves, evitando siempre los que puedan resultar bruscos y forzados. Cuando interviene más de una persona, la coordinación entre ellas es esencial.

3.2.2. Aplicación de los principios de mecánica corporal

El estudio de la mecánica corporal proporciona las normas fundamentales para efectuar cualquier tipo de movilización o traslado de personas de forma segura.

>> Recomendaciones básicas

Algunas de las recomendaciones básicas para los principales movimientos son las siguientes:

Manipulación de cargas

- Colócate en una posición estable antes de iniciar cualquier movilización.

- Mantén en todo momento la alineación de la espalda, el cuello y la cabeza, especialmente durante la carga y descarga.

- Evita utilizar la musculatura vertebral, que es débil y se lesiona fácilmente, y haz el esfuerzo con el abdomen, los glúteos y los muslos, que son zonas que disponen de músculos grandes y fuertes.

- Cuando lleves una carga, mantenla lo más cerca posible de ti; de esta forma conservas mejor el equilibrio y evitas forzar la espalda.

- No realices giros del tronco, especialmente mientras llevas una carga. Las rotaciones de la espalda mientras se sostiene peso pueden producir hernias discales.

>> La movilización de personas

Movilización de personas

En la movilización de personas aplicamos los principios de la mecánica corporal, aunque son procedimientos que presentan algunas características destacables:

- La «carga» es una persona y, por tanto, no podemos manipularla sin más. Debemos explicarle qué vamos a hacer y pedir su consentimiento y colaboración, en la medida de sus posibilidades. Siempre debemos confirmar que ha comprendido correctamente lo que esperamos de ella.

  Así mismo, debemos preservar su intimidad y dignidad. Si es necesario, cerramos la puerta o corremos las cortinas, conversamos con ella, le arreglamos la ropa y el pelo una vez acabada la movilización, nos aseguramos de que está cómoda, etc.

Fig. 3.5. Antes de realizar cualquier tipo de movilización debemos informar a la persona y pedir su colaboración en su entorno natural.

- La persona puede realizar algún movimiento imprevisto o no colaborar en la medida esperada durante la movilización, y ello puede provocar una caída o un movimiento lesivo para la persona que está realizando la movilización. Para evitarlo es necesario que le expliquemos cómo puede colaborar y, sobre todo, que nos aseguremos de que lo ha comprendido bien.

- En toda intervención debemos recordar que es necesario fomentar la autonomía personal. Por tanto, antes de efectuar una movilización debemos valorar si hay alguna estrategia o recurso que permita a la persona hacerla por sí misma o hacerla con un mínimo de ayuda. Por ejemplo, una persona encamada quizás podrá incorporarse sola en la cama si se le coloca un triángulo de cama. Si puede hacerlo, esta opción será preferible a que la incorporemos nosotros.

Por lo que se refiere propiamente a los movimientos, en la movilización de personas debemos tener en cuenta unas recomendaciones adicionales, además de aplicar los principios generales de la mecánica corporal:

Movilizaciones. Aspectos generales en la movilización de personas

- Recurre a los materiales y productos de apoyo de que dispongas para realizar los movimientos de forma más sencilla y segura: entremetidas, grúas, tablas de transferencia, etc.

- Prepara todo el material necesario antes de comenzar, ya que una vez que hayas empezado no podrás dejar sola a la persona.

- Asegúrate de que los frenos de camas, sillas, grúas o camillas estén activados antes de comenzar con ningún procedimiento.

- Si la cama lo permite, ajusta su altura e inclinación de forma que los movimientos resulten más sencillos y tu posición corporal lo menos forzada posible.

- Vigila que las sondas, los drenajes o cualquier otro dispositivo que tenga conectado la persona no se vean comprometidos en el procedimiento de movilización.

- Tras la movilización, coloca correctamente los elementos de seguridad o de posicionamiento que corresponda: barandillas de la cama, cinturón de la silla de ruedas, cojines para evitar que la persona ruede, etc.

- Finalmente, arregla su ropa y confirma que se encuentra cómoda.

Actividades

5. En parejas, y atendiendo a las recomendaciones de la mecánica corporal, pones en práctica los siguientes ejercicios u otros similares:

a) Toma un peso del suelo, levántalo y déjalo sobre una mesa que esté al lado.

b) Colócate junto a una cama y haz los movimientos necesarios para ajustar la sábana bajera durante un cambio de la ropa de cama.

c) Ayuda a una persona que está sentada a levantarse.

Para cada situación, valorad la complicación de aplicar la mecánica corporal, detectad las incorrecciones que hayáis cometido y pensad qué estrategias o productos podrían facilitar esos movimientos.

6. En parejas, discutid cuáles son las principales diferencias entre manejar una caja que pese 50 kg y una persona que pese lo mismo y pensad qué facilidades y dificultades supondrán ambas situaciones. Elaborad una tabla que muestre las facilidades y las dificultades que habéis encontrado.

3.3. Las movilizaciones

> Las maniobras que consisten en cambiar la posición corporal o la ubicación de una persona se denominan **movilizaciones**.

Podemos distinguir entre *reposicionamientos* y *transferencias*.

Tarea 1
Preparar las movilizaciones y los productos de apoyo

¡Tenlo en cuenta!

Las movilizaciones son procedimientos que conllevan un riesgo destacado de lesiones musculares para el personal; para prevenirlas debemos seleccionar correctamente la técnica que aplicaremos en cada caso y llevarla a cabo siguiendo escrupulosamente las recomendaciones establecidas. Además, aplicaremos siempre las medidas básicas de mecánica corporal que hemos estudiado.

3.3.1. Los reposicionamientos

Tarea 2
Aplicar cambios posturales

> Los **reposicionamientos** o **cambios posturales** son las movilizaciones que tienen por objetivo colocar a la persona en una posición corporal determinada, sin cambiarla de superficie.

» Objetivos de los reposicionamientos

Los reposicionamientos se llevan a cabo con personas encamadas, con distintos objetivos:

● **Higiene personal**. Para realizar muchos procedimientos de higiene, es necesario mover el cuerpo de la persona e ir cambiándola de posición. Estos reposicionamientos se deben hacer durante el lavado completo en la cama, al vestir a la persona, para cambiar unos absorbentes, para hacer la cama, etc.

● **Exploraciones y curas**. Las exploraciones médicas o los distintos cuidados sanitarios (curas de suturas, colocación de apósitos o vendajes, etc.) han de realizarse en una posición determinada para llevarlos a cabo correctamente. Para conseguir la posición idónea en cada caso es necesario realizar movilizaciones.

● **Prevención de UPP**. Las personas encamadas durante periodos largos de tiempo pueden presentar lesiones ulcerosas en las zonas de apoyo. La principal estrategia para prevenirlas es el cambio periódico de posición.

En estas situaciones, el personal de enfermería planifica las posiciones en que se debe colocar a la persona usuaria y el tiempo que debe permanecer en cada posición, para que la presión sobre las zonas de riesgo no sea mantenida. Lo habitual es planificar los cambios posturales cada dos horas durante el día y cada cuatro durante la noche.

● **Acomodación**. Los cambios de posición también se aplican para que la persona esté más cómoda en la cama o en un asiento. Por ejemplo, desplazándola hacia el cabecero de la cama si se ha ido resbalando hacia los pies disponiéndola de forma que pueda comer en la cama usando la mesa accesoria, poniéndola en una posición que le resulte cómoda para dormir, etc.

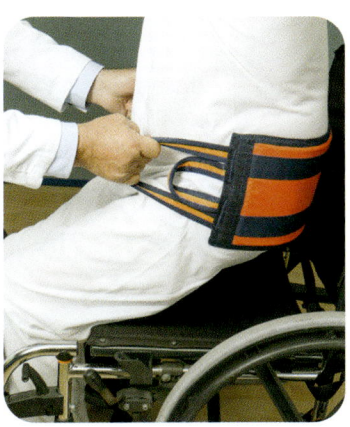

Fig. 3.6. Banda de movilización.

» Productos de apoyo para reposicionamientos

Existen distintos productos de apoyo que se utilizan para realizar reposicionamientos. Algunos de ellos ayudan al *personal*, otros están destinados a ayudar a la *persona en situación de dependencia* y otros se utilizan para *mantener la posición*.

› Productos de apoyo que ayudan al personal

Existen muchos productos distintos, entre los que podemos destacar:

- La **entremetida**, que ayuda a movilizar lateralmente.

- Los **tubulares deslizantes** tienen la misma función que la entremetida, pero están fabricados con un material muy deslizante, lo que facilita las movilizaciones.

- Las **sábanas deslizantes** facilitan las movilizaciones. Además, también ayudan a que la persona pueda moverse por sí misma con mayor facilidad.

- Las **bandas de movilización** son bandas anchas que poseen un asa en cada extremo. Las más comunes son las que se pasan por la espalda de la persona, a la altura de la cintura, y las bandas de pantorrillas, que facilitan la movilización coordinada de ambas piernas.

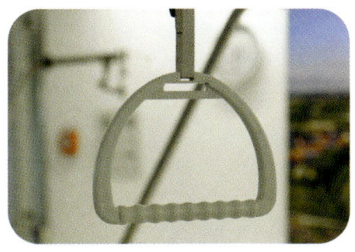

Fig. 3.7. Triángulo de Balkan.

› Productos de apoyo para la persona en situación de dependencia

Algunos productos ayudan a que la persona pueda realizar ciertos movimientos por sí misma. Podemos destacar:

- Los **triángulos de Balkan**, que son una pieza triangular suspendida sobre la cama a la cual la persona se puede sujetar para ayudarse a realizar ciertos movimientos. El triángulo va colgado de una cadena, que está sujeta a una estructura fijada en la estructura de la cama, la pared o el techo.

- Las **escaleras de ayuda**, que consisten en una tira de tejido con escalones que se sujeta al pie de la cama y se coloca de forma que la persona pueda asirla con sus manos. La persona puede entonces ayudarse para incorporarse en la cama, asiendo escalón a escalón hasta quedar en posición sentada.

› Productos para mantener la posición

Lo más habitual es usar cojines de posicionamiento, que se usan para ayudar a mantener determinadas posiciones corporales y como recurso para variar los puntos de apoyo corporal al hacer reposicionamientos. Suelen tener un núcleo de espuma de alta densidad y se les coloca una funda de material impermeable.

Los cojines de posicionamiento más comunes son los cojines de herradura o en uve y las cuñas, que están diseñadas para colocar en la zona de los pies y evitar así que la persona se resbale hacia la zona inferior de la cama.

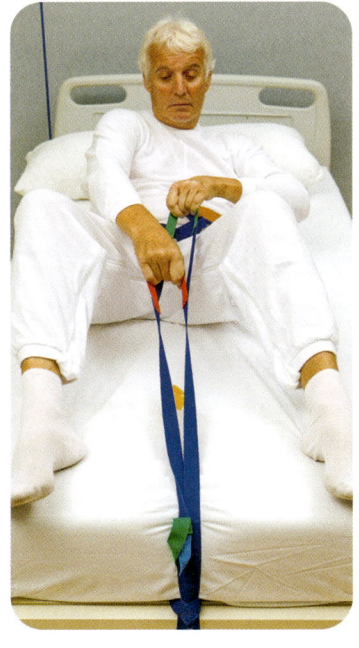

Fig. 3.8. Escalera de ayuda.

» Procedimientos de reposicionamiento

Los reposicionamientos que se realizan con más frecuencia a personas en situación de dependencia son *moverlas hacia la cabecera de la cama*, *moverlas lateralmente*, *moverlas de decúbito supino a lateral*, *moverlas de decúbito lateral a supino* y *moverlas de decúbito lateral a prono*.

Tarea 2
Preguntar sobre los cambios posturales

❯ Mover hacia la cabecera de la cama

Este reposicionamiento se aplica cuando la persona encamada se ha resbalado hacia los pies de la cama. La elección del procedimiento que se debe aplicar depende principalmente de la capacidad de colaboración de la persona. (Proc. 3.1 y 3.2)

Procedimiento 3.1.
Mover a una persona que colabora hacia la cabecera de la cama

Mover a una persona que colabora hacia la cabecera de la cama

Pasos a seguir

1. Pide a la persona que flexione las rodillas y apoye los pies contra la cama y, si puede, que se agarre a la cabecera de la cama.
2. Pasa los brazos por debajo del área lumbar y de los glúteos.
3. Pídele que haga fuerza con los talones contra la cama, al tiempo que la levantas un poco y la ayudas a desplazarse.

Procedimiento 3.2.
Mover a una persona que no puede colaborar hacia la cabecera de la cama

Mover a una persona que no puede colaborar hacia la cabecera de la cama

Material

- Opcional: entremetida, sábana o tubular

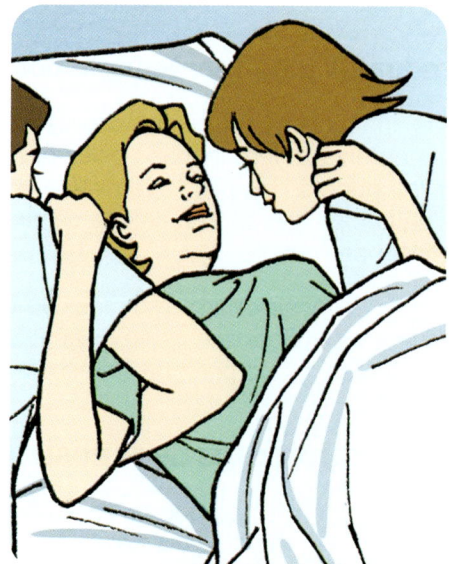

Pasos a seguir

1. Colocad a la persona con las rodillas flexionadas.
2. Levantad a la persona sujetándola por debajo de los hombros, desde ambos lados de la cama. Podéis usar productos de apoyo para facilitar la tarea.
3. Tirad de ella para desplazarla hacia la cabecera de la cama.

> ### Mover lateralmente en la cama

Este reposicionamiento se aplica para centrar a la persona en la cama, y también para moverla hacia el borde, como primer paso para otras movilizaciones, como ayudarla a sentarse en dicho borde.

El procedimiento puede llevarlo a cabo una sola persona (Proc. 3.3) o dos, para lo que es posible hacer uso de la entremetida o de algún otro producto de apoyo (Proc. 3.4).

Procedimiento 3.3.
Mover lateralmente mediante movilización por segmentos

Mover al paciente hacia un lado de la cama

Material

- Opcional: entremetida o tubular deslizante

Pasos a seguir

1. Sitúate en el lado de la cama hacia el cual quieres acercar a la persona.

2. Moviliza el segmento superior: pasa los brazos por debajo de los hombros y el cuello y da un paso atrás, tirando de este segmento.

3. Moviliza el segmento medio: pasa los brazos por debajo de la cintura pélvica y da un paso atrás, tirando de este segmento.

4. Moviliza el segmento inferior: pasa un brazo por debajo de los muslos y otro por debajo de las pantorrillas y da un paso atrás, tirando de este segmento.

Procedimiento 3.4.
Mover lateralmente usando la entremetida

Mover a la persona hacia un lado de la cama usando la entremetida

Material

- Entremetida

Pasos a seguir

1. Situaos a ambos lados de la cama y sujetad firmemente la entremetida.

2. Levantad a la vez la entremetida, al mismo tiempo que desplazáis lateralmente a la persona.

❯ Mover de decúbito supino a decúbito lateral

Este es un reposicionamiento habitual en los cambios de posición para prevenir las UPP, pero también se aplica en muchas otras situaciones: al hacer la cama, durante el lavado en la cama, para auscultar, etc.

Fig. 3.9. Colocación habitual de los cojines para mantener el decúbito lateral.

Cuando el objetivo es dejar a la persona en decúbito lateral, una vez conseguida la posición es necesario colocar cojines de posicionamiento para evitar giros y proporcionar comodidad a la persona. Los cojines se suelen colocar:

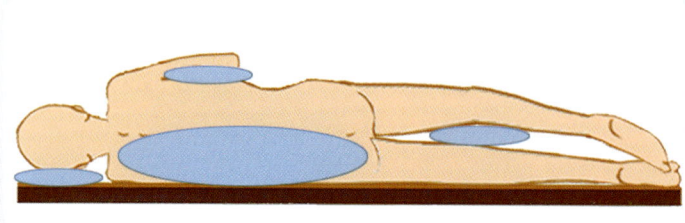

- Debajo de la cabeza, para mantener la columna cervical bien alineada con el resto.

- Debajo del brazo y del muslo que quedan arriba, para mantener las articulaciones relajadas y en posición correcta.

- Detrás de la espalda, para mantenerla alineada y evitar giros indeseados.

Procedimiento 3.5.
Mover de decúbito supino a decúbito lateral

Cambiar al paciente de decúbito supino a decúbito lateral

Material

- Opcional: entremetida y cojines de posicionamiento

Pasos a seguir

1. Desplaza a la persona hacia el lado de la cama contrario al decúbito lateral en que la vas a colocar, aplicando el PROCEDIMIENTO 3.3.

2. Prepara a la persona para el giro:

   - Coloca su brazo más alejado plegado sobre el tórax y la pierna del mismo lado ligeramente flexionada sobre la otra.

   - Coloca su brazo más cercano separado del cuerpo, para evitar que gire completamente.

3. Sitúate en el lado hacia el cual quieres girarla.

4. Realiza el giro: con una mano en su hombro y la otra en su cadera, tira en bloque, para provocar el giro. También puedes hacer esta maniobra utilizando la entremetida.

5. Si necesario, coloca cojines de posicionamiento.

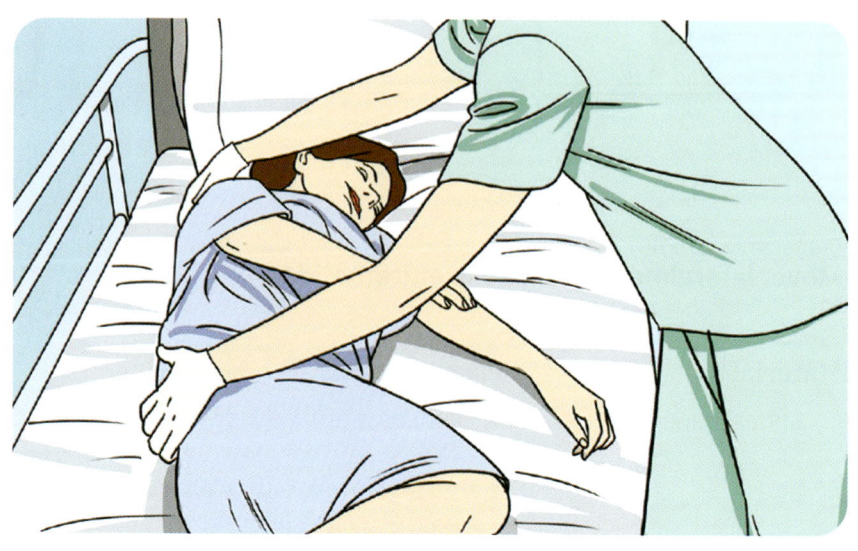

> Mover de decúbito lateral a decúbito supino

Al igual que el reposicionamiento de decúbito supino a lateral, es un reposicionamiento habitual en los cambios de posición para prevenir las UPP, pero también se aplica en muchas otras situaciones.

Cuando el objetivo es dejar a la persona en decúbito supino, una vez conseguida la posición se pueden colocar cojines de posicionamiento. Los cojines se suelen colocar:

Fig. 3.10. Colocación habitual de los cojines para mantener el decúbito supino.

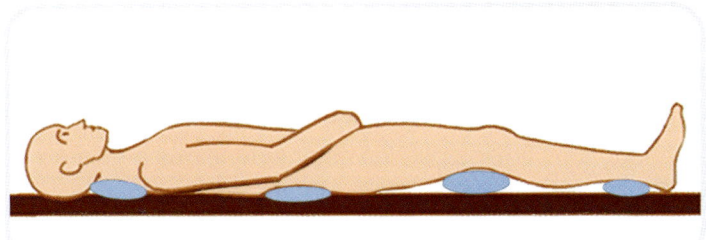

- Debajo del cuello y de los hombros, para evitar la hiperextensión de la columna cervical.

- En el área lumbar, para mantener esta curva fisiológica.

- Debajo del vacío poplíteo y de forma proximal al talón, para descargar este.

Procedimiento 3.6.
Mover a la persona de decúbito lateral a decúbito supino

Cambiar al paciente de decúbito lateral a decúbito supino

Material

- Opcional: cojines de posicionamiento

Pasos a seguir

1. Sitúate en el lado hacia el que vas a girar a la persona.
2. Sujétala por el hombro y la cadera y tira de ella.
3. Acomoda las piernas.
4. Desplázala lateralmente para que quede centrada en la cama. (Proc. 3.3)
5. Si necesario, coloca cojines de posicionamiento.

> Mover de decúbito lateral a decúbito prono

Al igual que el reposicionamiento de decúbito supino a lateral, es un reposicionamiento habitual en los cambios de posición para prevenir las UPP, pero también se aplica en muchas otras situaciones.

Cuando el objetivo es dejar a la persona en decúbito prono, una vez conseguida la posición se pueden colocar cojines de posicionamiento. Los cojines se suelen colocar:

- Debajo de la cabeza, que estará de lado.

- Entre la parte superior del tórax y el cuello, para relajar la columna cervical y, en las mujeres, evitar la presión sobre los pechos.

- En el tercio distal de las piernas, para evitar la presión sobre los dedos de los pies.

- Se puede poner otro cojín en la parte inferior del tórax, para evitar la hiperextensión de la columna lumbar.

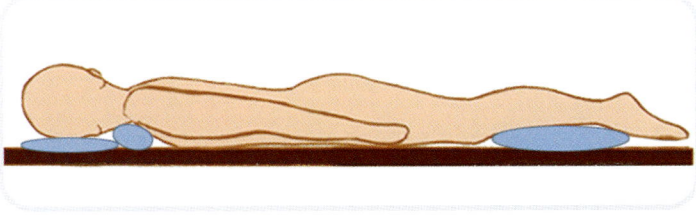

Fig. 3.11. Colocación habitual de los cojines para mantener el decúbito prono.

Procedimiento 3.7.
Mover de decúbito lateral a decúbito prono

Cambiar al paciente de decúbito
lateral a decúbito prono

Material

- Opcional: cojines de posicionamiento y entremetida

Pasos a seguir

1. Prepara a la persona para el giro, colocando el brazo en contacto con la cama alineado con el tronco.

2. Realiza el giro: con una mano sobre el hombro y la otra sobre la cadera, tira de la persona en bloque. Esta maniobra también puede realizarse con la entremetida.

3. Ajusta la posición: las piernas han de estar extendidas y la cabeza girada hacia un lado. Los brazos pueden estar extendidos a lo largo del cuerpo o a ambos lados de la cabeza.

4. Si necesario, coloca cojines de posicionamiento.

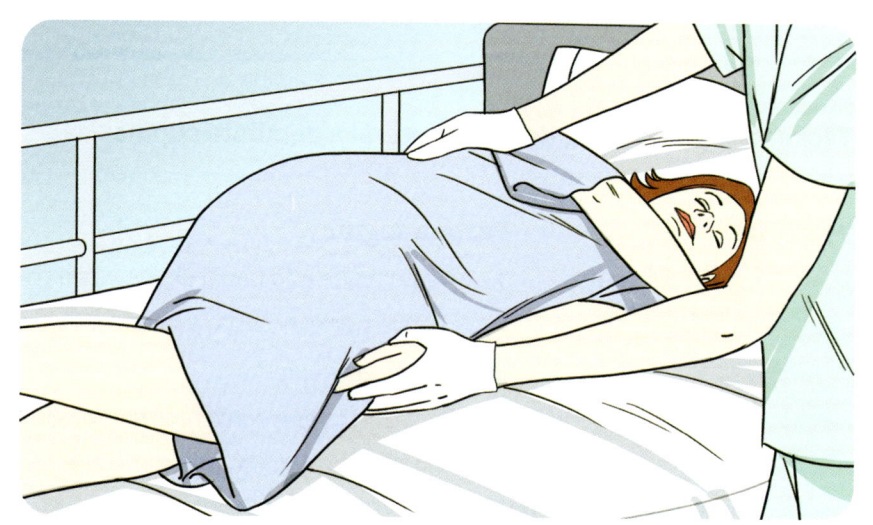

3.3.2. Las transferencias

Entendemos por **transferencia** cualquier operación en la que movemos a la persona de un soporte a otro: de la cama a una silla, de una silla de ruedas a una camilla, etc.

Tarea 3
Realizar procedimientos de transferencia

La técnica para efectuar cada transferencia y el número de personas que deberán intervenir depende de distintos factores, como:

- La **fuerza** de la persona: si puede mantenerse de pie, si puede caminar aunque sea con ayuda, si tiene la suficiente fuerza en las extremidades superiores, etc.

- El **equilibrio**: si se puede sostener en pie de forma segura, o bien en qué posiciones puede mantenerse.

- La capacidad de **colaboración**: si la persona puede o quiere colaborar o no, y en qué medida. También si, por el contrario, es previsible que pueda plantear resistencia u oposición a la movilización.

- El **estado clínico**: si sufre dolores, si tiene alguna zona del cuerpo inmovilizada, si lleva dispositivos médicos que condicionen los movimientos (sondas catéteres, férulas, etc.), etc.

>> Productos de apoyo para transferencias

Existen distintos materiales que ayudan a realizar las transferencias de forma segura. Destacamos entre ellos las *tablas de transferencia*, los *tubulares deslizantes*, los *cinturones de traslado* y los *elevadores o grúas*.

- **Tablas de transferencia**. Son tablas rígidas y ligeras, capaces de sostener el peso de la persona. Es habitual que su superficie superior sea muy deslizante y la inferior, antideslizante. También se les puede colocar una funda tubular deslizante para facilitar la transferencia.

  La más común es la tabla para transferencia cama-camilla, que se utiliza para la transferencia lateral horizontal de personas entre camas y camillas. Pero también existen tablas para transferencia en asiento, diseñadas para la transferencia desde la cama a una silla o al revés.

- **Tubulares deslizantes**. Son piezas grandes, que ocupan prácticamente toda la superficie de la cama, y tienen la misma función que las tablas de transferencia. Son de material acolchado y deslizante, para facilitar las movilizaciones.

- **Disco de rotación**. Es un disco de plástico duro que, al colocar a la persona encima, gira fácilmente sobre su eje. De esta manera facilita la realización de las maniobras de giro en una transferencia con mayor seguridad y comodidad.

- **Cinturones de traslado**. Son cinturones acolchados anchos, provistos de asas de sujeción. Se utilizan para facilitar las transferencias de cama a silla y a la inversa, y también como elemento de soporte cuando la persona necesita ayuda en la deambulación.

- **Elevadores o grúas**. Se utilizan en movilizaciones de personas que no pueden colaborar. Presentan la ventaja de que una sola persona puede efectuar las movilizaciones.

  Para usarlas se coloca a la persona el arnés, superficie tubular u otro elemento de que disponga la grúa y después se engancha a la grúa. Seguidamente se accionan los mandos de la grúa para realizar los movimientos.

Fig. 3.12. Tabla de transferencia y cinturón de traslado (a), disco de rotación (b) y grúa (c).

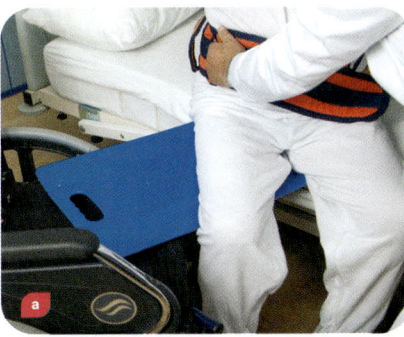

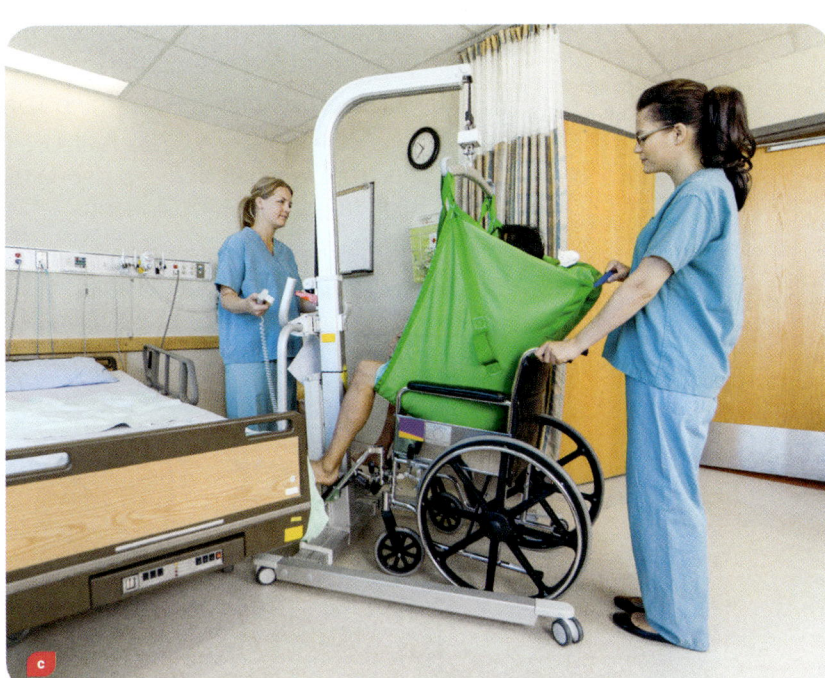

>> Transferencias con colaboración

Las más comunes son las transferencias entre algún tipo de asiento (sillón, silla de ruedas, silla) y otro asiento o la cama.

El nivel de colaboración que podemos esperar de la persona depende principalmente de su estado físico, aunque también de su salud mental y de su estado anímico. En todos los casos, por limitada que sea su participación, es importante aceptarla.

Para conseguir la colaboración debemos decirle qué vamos a hacer y por qué. A continuación hemos de explicarle qué ayuda puede prestar y asegurarnos de que nos ha comprendido bien. Si la persona malinterpreta las instrucciones y hace movimientos que no esperamos puede causarnos lesiones o provocárselas a sí misma.

> Procedimientos básicos

Para llevar a cabo estas transferencias se combinan varios procedimientos:

- **Sentar en el borde de la cama a una persona tumbada** (Proc. 3.8). Es un paso previo para iniciar una trasferencia cama-silla, pero también se usa para ayudar a la persona a levantarse.

- **Tumbar en la cama a una persona sentada en su borde** (Proc. 3.9). Se lleva a cabo como finalización de la transferencia silla-cama o para volver a acostarse tras la realización de cualquier otro procedimiento.

- **Levantar a la persona y volverla a sentar** (Proc. 3.10).

Procedimiento 3.8.
Sentar en el borde de la cama a una persona tumbada

Sentar al paciente al borde de la cama

Material

- Opcional: productos de apoyo de agarre (banda de movilización) y de transferencia (tubular deslizante)

Pasos a seguir

1. Coloca a la persona en decúbito lateral en el borde de la cama, con las piernas juntas, una sobre la otra.
2. Ajusta la altura de la cama para que la persona pueda apoyar los pies en el suelo una vez sentada y eleva el cabecero hasta unos 45°.
3. Sujeta el hombro con una mano y pasa la otra por detrás de las rodillas.
4. Tira de las piernas hacia fuera de la cama y acompaña la elevación del tronco, hasta que la persona quede sentada. Los discos de rotación facilitan ese movimiento.

Comprueba si aparecen signos de mareo antes de continuar con otro procedimiento.

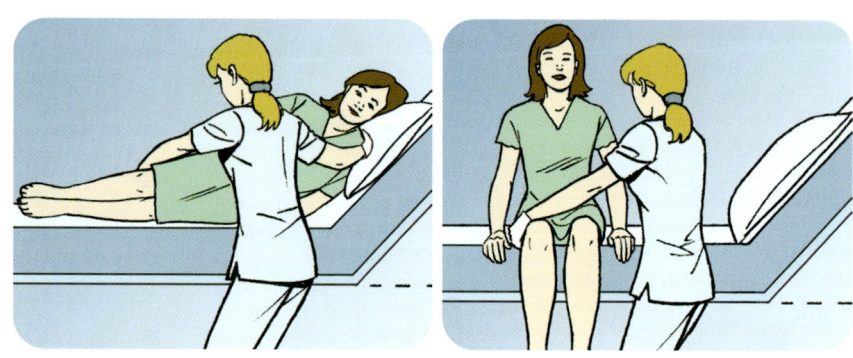

Procedimiento 3.9.
Tumbar a una persona que está sentada en la cama

Material

- Opcional: banda de movilización, cinturón de traslado o tubular deslizante

Pasos a seguir

1. Eleva el cabecero de la cama para sentar a la persona.
2. Coloca una mano en su hombro y la otra bajo sus rodillas.
3. Indícale que se tumbe a la vez que elevas sus piernas y acompañas el descenso del tronco.
4. Si es necesario, desplázala hacia el centro de la cama (PROC. 3.3) o ayúdala a hacerlo.

Procedimiento 3.10.
Levantar y volver a sentar

Transferencia de un asiento a otro por una sola persona

Material

- Opcional. Productos de apoyo: de agarre (cinturón de traslado y bandas de movilización), de giro (disco de rotación) o de transferencia (tablas de transferencia)

Pasos a seguir

1. Dispón los asientos.
2. Colócate frente a la persona.
3. Pídele que se sujete a tus hombros y entrelaza tus manos a su espalda. Si lleva cinturón de traslado, sujétala por las asas del cinturón.
4. Tira de la persona hacia arriba para ayudarla a levantarse, mientras bloqueas sus rodillas con tus piernas.
5. Guíala para girar 90º, paso a paso y despacio, hasta que la persona quede justo delante del segundo asiento y déjala suavemente en él, frenando sus pies con los tuyos. En este giro, desplaza tus pies y no gires el tronco, para evitar lesiones lumbares.
6. Si es necesario, coloca correas de sujeción.

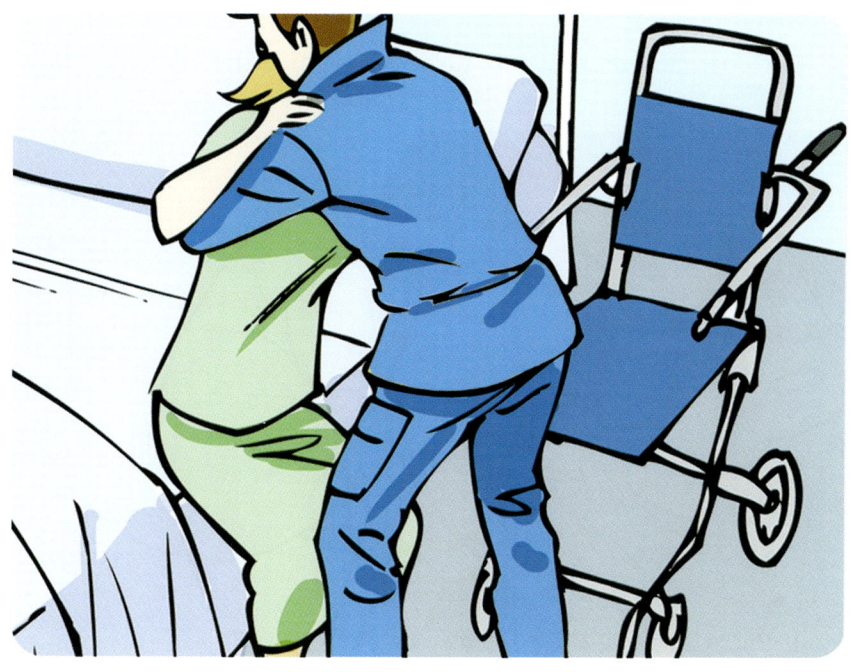

> Principales transferencias

Las transferencias más comunes son:

- **Transferencia de cama a asiento**. En este caso se realiza un reposicionamiento en la cama para sentar a la persona en su borde, con una altura de cama que le permita apoyar los pies en el suelo. (PROC. 3.8) Seguidamente se aplica el procedimiento de transferencia entre dos asientos. (PROC. 3.10)

- **Transferencia de asiento a cama**. Se realiza una transferencia entre dos asientos: silla o sillón y cama. (PROC. 3.10) A continuación, con la persona sentada en el borde de la cama, se aplica el procedimiento para tumbarla. (PROC. 3.9)

- **Transferencia de un asiento a otro**. En este caso se aplica el procedimiento para levantar y volver a sentar a la persona. (PROC. 3.10)

>> Transferencias sin colaboración

Cuando la persona no puede colaborar, las trasferencias se llevan a cabo cargando su peso, por lo cual suelen realizarse entre personas o usando productos de apoyo. Los procedimientos de transferencia sin colaboración más comunes son la transferencia de un asiento a otro (PROC. 3.11) y la transferencia entre soportes horizontales (de cama a camilla o a inversa). (PROC. 3.12)

Otra alternativa para hacer estas transferencia es utilizando una grúa. Existen numerosos modelos de grúas y cada uno presenta su propio sistema de funcionamiento y características particulares. Por lo tanto, resulta esencial que el personal técnico en APSD se familiarice con las instrucciones específicas de la grúa que esté utilizando en cada momento.

Procedimiento 3.11.
Transferencia de un asiento a otro sin colaboración

Transferencia de un asiento a otro sin colaboración

Material

- Opcional: tabla de transferencia

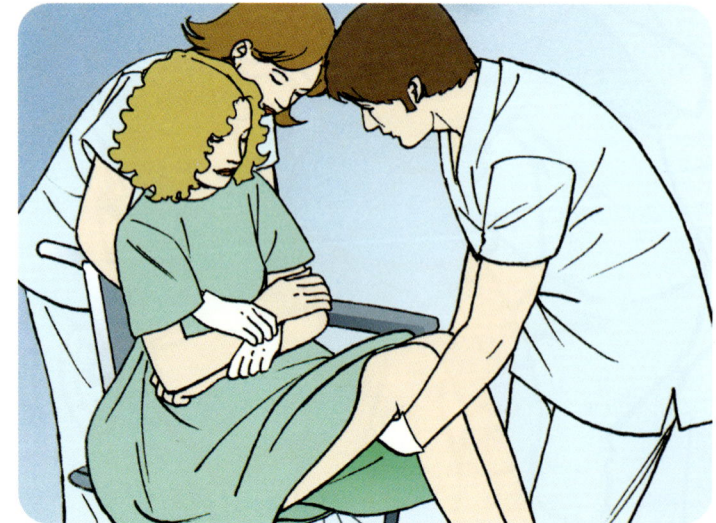

Pasos a seguir

1. Colócate detrás de silla en que está la persona. Tu compañero/a se coloca delante.

2. Pasa las manos por debajo de las axilas de la persona y sujétala por los antebrazos. Tu compañero/a la sujeta por detrás de las rodillas.

3. A la vez, levantad a la persona y desplazadla de un asiento al otro. Para esta maniobra se puede utilizar una tabla de transferencia.

4. Si es necesario, coloca correas de sujeción.

Procedimiento 3.12.
Transferencia entre soportes horizontales

Material

- Opcional: sábana deslizante, tabla de transferencia o tubular deslizante

Pasos a seguir

1. Coloca los dos soportes de lado y cócate junto al soporte en que está la persona.

2. Coloca los brazos de la persona sobre su pecho, sujétala por los hombros y los muslos y lateralízala de forma que quede mirando hacia ti.

3. Mantenla en esta posición mientras tu compañero/a, desde el lateral del otro soporte, coloca la tabla, tubular o sábana a lo largo de su espalda.

4. Baja suavemente a la persona para que quede situada sobre la tabla, tubular o sábana.

5. Deslizad el elemento que hayáis colocado, para transferir a la persona de un soporte al otro.

6. Tu compañero/a realiza ahora la lateralización de la persona y tú retiras la tabla, tubular o sábana.

7. Si es necesario, realizad una movilización lateral para centrar a la persona en el nuevo soporte. (PROC. 3.4)

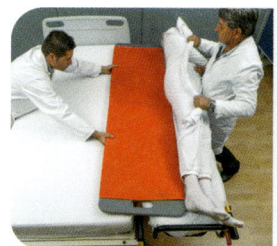
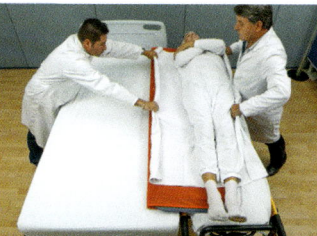
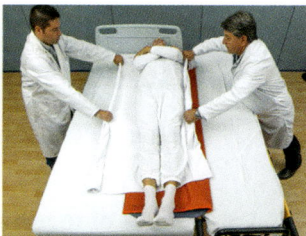
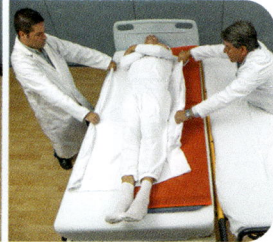

Actividades

Diagrama de flujo

7. Mediante un *brainstorming* en clase, elaborad un listado de situaciones en el entorno sociosanitario que requieran la movilización de pacientes. Dedicad entre 10 y 15 minutos.

8. Busca información sobre dos de estos productos de apoyo: tubular deslizante, sábana deslizante, banda de movilización (de cadera o de pantorrillas) o escalera de ayuda. Después, elabora una ficha en la que aparezca esta información:

   - Nombre del producto de apoyo.
   - Aspecto (materiales, forma, dimensiones...).
   - Utilidad.
   - Beneficios que proporciona.
   - Vídeo recuperado de internet demostrativo de la utilidad del producto.

9. Simulad en clase, en pequeños grupos, la realización completa de estos cambios posturales:

   a) La persona se encuentra en decúbito supino. Cambiadla a decúbito lateral, dejándola perfectamente acomodada.

   b) Realizad el cambio de decúbito lateral a decúbito prono. Dejadla con las sujeciones oportunas.

Actividades

c) Desde el decúbito prono, volvedla a decúbito supino, dejándola también cómodamente instalada.

Podéis usar los productos de apoyo que tengáis disponibles en el aula taller. Indicad en cada caso las dificultades o incidencias más destacables en su ejecución.

10. ¿En qué aspectos te fijarás para valorar la capacidad de colaboración de una persona a la que tengas que efectuar una trasferencia cama-silla de ruedas?

11. Elabora un **diagrama de flujo** que ilustre los pasos a seguir para pasar a una persona que puede colaborar y está en decúbito supino en la cama a una silla de ruedas. Para cada paso, valora la posibilidad de usar productos de apoyo y escoge los que podrían ser útiles.

12. Utilizando el diagrama de flujo que has elaborado en la actividad anterior, piensa qué riesgos para ti y para la persona usuaria hay en cada paso. Plantea medidas para suprimir o minimizar esos riesgos.

3.4. Los traslados

Tarea 4
Llevar a cabo traslados
de personas

Tarea 3
Ensayar trasferencias
y traslados

> Los **traslados** son movilizaciones en las que se transporta a la persona de un lugar a otro usando una silla de ruedas o una camilla.

3.4.1. Recomendaciones generales

Hay algunas consideraciones que debemos tener en cuenta para realizar los traslados:

- **Prever el recorrido**. Observar si nos vamos a encontrar obstáculos, escaleras, rampas o zonas estrechas que puedan ser difíciles de salvar, siempre pensando en escoger la ruta que presente menos obstáculos, aunque sea un poco más larga.

- **Garantizar la seguridad de la persona trasladada**. La persona debe estar bien acomodada en la silla o camilla y se deben usar los elementos de seguridad que corresponda para evitar deslizamientos o caídas: cinturones, barandillas, elementos de sujeción, etc.

- **Preservar la intimidad y la dignidad de la persona**. Para realizar traslados la persona se debe vestir o cubrir adecuadamente, según la situación: ropa de calle para salir al exterior, una bata sobre el pijama para desplazamientos interiores que no requieran ir vestido, cubrir con una sábana si se usa camilla, etc.

¡Tenlo en cuenta!

Cuando la persona no puede colaborar y deben ser otras personas quienes la trasladen es habitual usar sillas tradicionales, sin motorizar, y recurrir a elementos de sujeción que eviten deslizamientos o caídas de la persona en situación de dependencia.

3.4.2. Procedimientos de traslado

En el ámbito residencial, los traslados se realizan principalmente con *sillas de ruedas*, aunque también pueden realizarse traslados con *camilla* o con la propia cama.

›› Traslado con silla de ruedas

La silla de ruedas se utiliza para traslados, aunque también es un elemento de ayuda a la deambulación, en el caso de personas que pueden desplazarse por sí mismas con la silla.

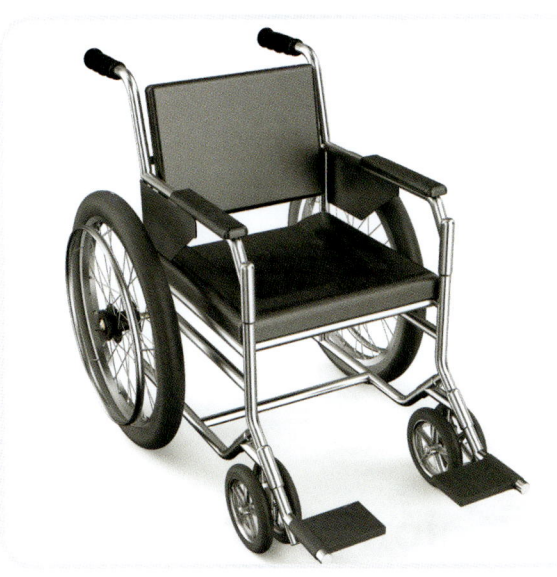

Fig. 3.13. Silla de ruedas manual.

> ### Acomodar en la silla

Si es necesario hacer una transferencia desde la cama o desde otro asiento, se hacen las movilizaciones necesarias aplicando los procedimientos explicados en el apartado de transferencias. Una vez que la persona ya está sentada en la silla:

● Verificamos que está bien sentada y le arreglamos la ropa.

● Colocamos los pies sobre el reposapiés.

● Colocamos sus brazos por dentro de la silla, sobre su regazo, para que no se golpeen ni se enganchen durante el traslado.

● Si es necesario, la sujetamos con un cinturón y con los elementos adicionales de sujeción que necesite.

> ### Trasladar con la silla

Una vez que la persona está preparada, ya podemos desbloquear las ruedas de silla y comenzar la circulación, manteniendo una marcha uniforme y segura, para evitar sensación de incomodidad en la persona trasladada.

Durante el trayecto podemos encontrar obstáculos que se deberemos salvar. Existen múltiples formas de hacerlo, algunas estrategias son las siguientes:

● **Para subir un escalón**. Ayudándonos con el pie, levantamos las ruedas delanteras de la silla y las apoyamos en la zona superior del escalón. Seguidamente empujamos para hacer subir las ruedas posteriores.

● **Para bajar un escalón**. En este caso debemos hacerlo de espaldas: primero bajamos las ruedas posteriores, luego levantamos un poco las delanteras ayudándonos con el pie y las bajamos.

● **Para subir una rampa**. Empujamos la silla tal como lo haríamos para avanzar en un terreno llano, pero con mucho cuidado de tenerla bien agarrada.

● **Para bajar una rampa**. Si la rampa es suave empujamos la silla tal como lo haríamos para avanzar en un terreno llano, pero con mucho cuidado de tenerla bien agarrada y, sobre todo, de no tomar velocidad.

Si la pendiente es muy pronunciada nos puede resultar difícil dominar la silla, por lo que resulta más seguro bajar de espaldas, caminando con mucha precaución hacia atrás, ya que de esta forma nuestro cuerpo frena la silla.

> > ### Traslado con camilla

Tarea 4
Realizar transferencias y traslado en camilla

Las camillas o las propias camas se utilizan para trasladar a las personas que no pueden o no deben mantenerse sentadas.

Las camillas pueden disponer de distintos sistemas de regulación, principalmente altura, inclinación del respaldo e inclinación de la zona de las piernas. Es necesario que el personal conozca las prestaciones y el funcionamiento de los modelos que van a utilizar, ya que los ajustes con la persona situada sobre la camilla se deben realizar de forma segura, y una vez hechos se deben bloquear todos los elementos que corresponda.

Actividades

 Las partes y el todo   Color, símbolo, imagen

13. Analizad la silla o sillas de ruedas que tenéis en el aula taller. Identificad las diferentes partes y accesorios. Aplicad la rutina de pensamiento **las partes y el todo**. Identificad la función de cada parte y valorad qué pasaría si faltase esta parte.

14. Por parejas, practicad el desplazamiento en silla de ruedas por el edificio o el patio. Procurad pasar por rampas pronunciadas y escalones.

15. Después de la actividad anterior, realizad la rutina **color, símbolo, imagen** para reflexionar sobre las dificultades y la experiencia vivida durante el manejo de la silla de ruedas.

3.5. Ayuda a la deambulación

> La **deambulación** es el desplazamiento de forma autónoma, con o sin instrumentos mecánicos.

Muchas personas tienen dificultades para desplazarse de forma autónoma en algún momento y necesitan ayuda para hacerlo. La ayuda puede ser la de una persona que la acompañe o bien el uso de productos de apoyo.

En todos los casos es importante que la persona use un calzado adecuado, que quede bien sujeto y tenga una suela antideslizante.

3.5.1. Deambulación con ayuda

Para ayudar a caminar a una persona aplicamos una u otra de las técnicas siguientes (de menos a más necesidad de ayuda), según las necesidades:

● Anímala a que camine de manera independiente, manteniéndote a su lado para sujetarla si es necesario.

● Ayúdala en la deambulación, situándote a su lado y entrelazando tu antebrazo con el suyo.

● Ayúdala en la deambulación, situándote a su lado y sujetándola con un brazo por la cintura y con el otro por el codo.

La deambulación se realiza al ritmo que a la persona le resulte cómodo y seguro, y parando cada vez que lo requiere. Si aparecen signos de hipotensión o debilidad, la sujetamos bien y la conducimos hasta el asiento más cercano.

También puede ocurrir que la persona caiga. En esta situación no debemos intentar mantenerla en pie usando nuestra fuerza, sino acompañar la caída para evitar lesiones. Si tenemos tiempo para colocarnos, nos situamos a su espalda, la apoyamos en nuestro cuerpo y vamos doblando las piernas para acompañar la caída. En todos los casos, lo esencial es proteger su cabeza para evitar que se golpee contra el suelo, ya que un golpe de este tipo en la cabeza puede ser grave.

Fig. 3.14. Deambulación con ayuda, sujetando solo el brazo.

3.5.2. Deambulación con productos de apoyo

Tarea 5
Explicar la
deambulación con
productos de apoyo

Los *bastones*, *andadores* y *muletas* son productos de apoyo que permiten aumentar la seguridad de las personas que tienen alguna limitación funcional. Otros productos de apoyo son las *sillas de ruedas*.

›› Deambulación con bastón

Los bastones sirven para descargar una pierna débil y dar seguridad a la persona que presenta una marcha inestable.

El bastón debe tener un asidero en el extremo superior para garantizar un buen agarre y una contera de goma en el extremo inferior para que no se deslice. También existen bastones de base amplia, con cuatro patas en su extremo inferior.

¡Tenlo en cuenta!

La longitud del bastón se debe graduar según la altura de la persona. La longitud adecuada es aquella en que el extremo superior del bastón le llega a la cadera y le permite asirlo con firmeza, manteniendo el codo flexionado entre 25 y 35°.

Fig. 3.15. Deambulación con bastón.

 Tipos de bastones

› La marcha con bastón

El bastón se debe sujetar con la mano del lado fuerte del cuerpo. La técnica de marcha varía según el nivel de apoyo necesario.

- Si la persona requiere poco apoyo debe adelantar el bastón y la pierna débil, y después adelantar la pierna fuerte.

- Si requiere un apoyo máximo, en todo momento debe mantener dos puntos de apoyo en el suelo: primero adelanta el bastón unos 30 cm, luego adelanta la pierna débil hasta el bastón y, finalmente, adelanta la pierna fuerte hasta un poco más allá del bastón.

›› Deambulación con andador

Los andadores están indicados para personas que necesitan más apoyo del que proporciona un bastón. Son más estables y seguros, ya que impiden el ladeo. El andador estándar consta de:

- Una **barra de sujeción** de altura regulable y con asideros de plástico.

- **Cuatro patas** con conteras de goma para evitar que se deslicen. Otros modelos tienen dos ruedas y dos patas, y también los hay que no tienen patas y solo tienen cuatro ruedas.

¡Tenlo en cuenta!

La barra del andador se debe graduar en altura para que quede un poco por debajo de la cintura de la persona. De esta forma, sus codos quedan flexionados y la postura es lo más normal posible.

 Tipos de andadores

› La marcha con andador

Hay diferentes tipos de andadores:

- **Andadores estacionarios**. La persona avanza un pie y luego otro, apoyándose en la barra; luego levanta un poco el andador, lo adelanta y, una vez lo tiene firme en el suelo, vuelve a avanzar. Esta técnica requiere que la persona tenga suficiente fuerza en los brazos y las manos para poder levantar y desplazar el andador.

Fig. 3.16. Andador de cuatro ruedas.

 Tipos de muletas

- **Andadores con dos ruedas**. Dan bastante estabilidad y se requiere menos fuerza para usarlos. La técnica es similar a la que se aplica con los andadores estacionarios.

- **Andadores con cuatro ruedas**. Para usar estos andadores no se necesita fuerza en brazos y manos, pero son más inestables y requieren habilidad para poder maniobrarlos y usar los frenos. Pueden provocar caídas si los llevan personas con déficit de equilibrio y mala coordinación neuromuscular.

➤➤ Deambulación con muletas

Son productos de apoyo útiles en periodos de recuperación de fracturas de pierna o de cadera y también los usan personas con amputación de algún miembro inferior. La persona que utiliza muletas debe tener fuerza en los brazos y no tener afectado el equilibrio. La marcha se puede realizar en cuatro puntos, en tres puntos o en dos puntos, según la fuerza y coordinación de la persona:

- **Marcha en cuatro puntos**. Es apropiada para las personas que no pueden sostener todo su peso y que tienen alteraciones del equilibrio.

- **Marcha en tres puntos**. Se aplica cuando la persona puede utilizar las dos extremidades superiores, pero solo una de las inferiores.

- **Marcha con muletas en dos puntos**. Se aplica cuando la persona tiene las extremidades inferiores débiles, pero cada una de ellas es capaz de sostener el peso del cuerpo con el apoyo de una muleta. Además, debe tener una coordinación neuromuscular aceptable y la suficiente fuerza en las extremidades superiores.

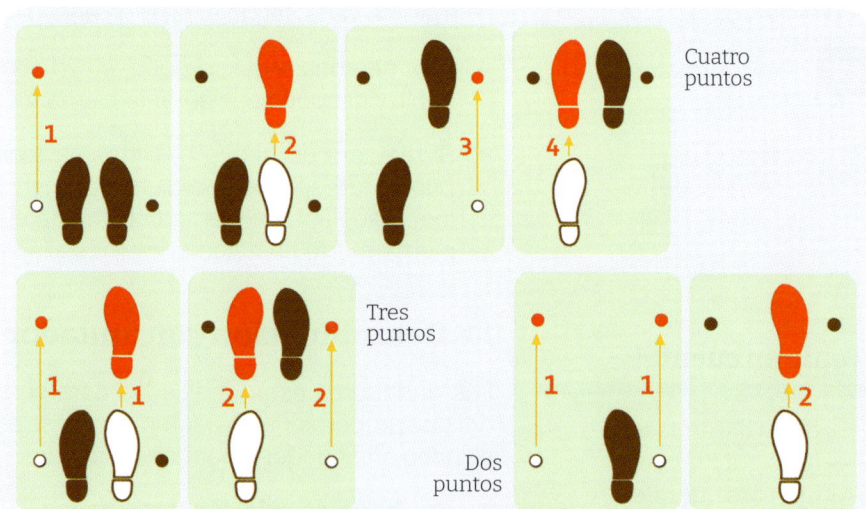

Fig. 3.17. Técnicas para la deambulación con muletas.

➤➤ Deambulación con silla de ruedas

Existen distintos modelos, que podemos agrupar en dos grandes categorías:

 Tipos de sillas ruedas

- **Manuales**. La persona debe propulsar la silla con la fuerza de sus brazos. Como es lógico, para un uso autónomo de estas sillas se requiere que la persona tenga suficiente movilidad y fuerza en los brazos.

- **Motorizadas**, que disponen de motor. La persona dirige la velocidad y los movimientos de la silla con una mano. El manejo de estas sillas no necesita tanta movilidad ni fuerza en los brazos como en el caso de las sillas manuales, pero sí una mínima movilidad que permita accionar los elementos de control de la silla.

Actividades

Vídeo

16. Completa la tabla siguiente indicando en qué circunstancias recomendarías el uso de cada tipo de producto de apoyo:

Bastón	Muletas	Andador estacionario	Andador con cuatro ruedas
--------------	--------------	--------------	--------------

17. Organizaos en grupos. Cada grupo realizará la simulación entre profesional y persona en situación de dependencia, en la explicación y demostración de la deambulación de los casos siguientes.

- Grupo 1. Deambulación con bastón.
- Grupo 2. Deambulación con caminador.
- Grupo 3. Deambulación con muleta en cuatro puntos.
- Grupo 4. Deambulación con muleta en tres puntos.
- Grupo 5. Deambulación con muleta en dos puntos.

Cada grupo grabará en **vídeo** su procedimiento y lo explicará en clase.

18. Enumerad un listado de medidas útiles para una ayuda personal a la deambulación segura.

 RETO 3.1
Participación en el *I Concurso de apoyos a la movilidad*
Tarea Final: La prueba final del *I Concurso de apoyos a la movilidad.*

 RETO 3.2
¿Cómo atender las necesidades de movilidad de una persona que ha sufrido un ictus?
Tarea Final: Orientar a la familia de Laura.

¿Qué sabes ahora de...?

Reflexiona y valora tus conocimientos respecto a cada una de las siguientes cuestiones:

- ¿Sabes con qué objetivos se realizan las movilizaciones?
- ¿Sabes cómo colocar a una persona encamada en decúbito lateral?
- ¿Sabes qué funciones tienen los cinturones de traslado?
- ¿Sabes qué estrategias adoptar para bajar un escalón trasladando a una persona en silla de ruedas?
- ¿Sabes cómo enseñar a alguien a usar un andador?

 Ni idea
 Me suena
 Lo conozco
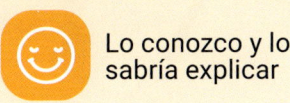 Lo conozco y lo sabría explicar

Unidad de trabajo

4 El control del estado de salud

¿Qué sabes de...?

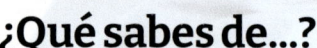

- ¿Sabes qué funciones desempeña el personal técnico en APSD en el control del estado de salud?
- ¿Sabes qué es la hipertermia?
- ¿Sabes qué nos indica la tensión arterial sistólica?
- ¿Sabes tomar el pulso?
- ¿Sabes cómo se calcula el balance hídrico?
- ¿Sabes cómo se valora y trata la diabetes?

 RETO 1
Colaboración en el desarrollo de una app para monitorear los signos vitales

 RETO 2
¿Cómo explicar a mi familia que me han diagnosticado diabetes?

1. Las actividades de asistencia sanitaria

2. Exploración física y pruebas

El control del estado de salud

3. Los signos vitales

5. La glucemia

4. El balance hídrico

4.1. Las actividades de asistencia sanitaria

Las tareas en el ámbito sanitario del personal técnico en atención a personas en situación de dependencia (APSD) se limitan a aquellas que la persona en situación de dependencia realizaría por sí misma, si pudiera, y se llevan a cabo siempre bajo la indicación y el control del personal sanitario responsable.

En el entorno residencial las actividades sanitarias quedan muy limitada, ya que hay personal técnico en cuidados auxiliares de enfermería (TCAE) y de enfermería que atiende a las personas residentes. En la atención domiciliaria, en cambio, puede ser necesaria una intervención más destacada a este nivel: administrar medicamentos, tomar la temperatura, medir la glucemia y administrar insulina, aplicar frío o calor, etc.

Las intervenciones del personal técnico en APSD se centran en:

- **Detectar alteraciones o signos de deterioro físico**. Dado que es el personal que colabora en la higiene personal y que mantiene un contacto más estrecho con la persona, es el que está en mejor posición para detectar cambios en su estado o localizar lesiones en sus momentos iniciales. Cualquier cambio detectado se debe comunicar al personal sanitario, siguiendo el protocolo que se haya establecido para estas comunicaciones.

- **Preparar a la persona para que el personal sanitario le practique exploraciones físicas o pruebas diagnósticas**. Las exploraciones o pruebas físicas requieren que la persona se coloque en posiciones establecidas; el personal técnico en APSD suele realizar las movilizaciones necesarias.

- **Efectuar mediciones y controles**, siguiendo las pautas establecidas por el personal sanitario. Muchas personas deben realizar mediciones o controles para que el personal sanitario pueda realizar un seguimiento de su estado de salud o de alguna enfermedad. Por ejemplo, pesarse, medirse la glucosa en sangre, tomarse la temperatura, etc.

Estas son actividades que la persona, si pudiera, realizaría por sí misma. En situaciones de dependencia puede requerir que otra persona lo haga por ella. En la atención domiciliaria, el personal técnico en APSD es quien realiza estas actividades.

. . . . .
¡Tenlo en cuenta!

El personal técnico en APSD también pueden colaborar en la valoración de factores subjetivos, como el nivel de dolor o la calidad de vida.

Fig. 4.1. Las actividades sanitarias que realiza el personal técnico en APSD son actividades que la persona realizaría por sí misma si pudiera.

 Actividades    **Mapa mental**

1. Elabora un **mapa mental** que muestre las funciones del personal técnico en APSD en el ámbito de la atención sanitaria.

4.2. Exploración física y pruebas

El personal técnico en APSD colabora con el personal sanitario en la realización de ciertas exploraciones o pruebas, principalmente ayudando a preparar a la persona y colocándola en la posición adecuada.

Cuando se trata de una asistencia domiciliaria, el personal técnico puede desempeñar además otras funciones, como gestionar la visita o acompañar a la persona al centro.

4.2.1. La preparación

En un centro sanitario o residencial solo debemos ayudar a la persona a prepararse. Cuando la exploración o las pruebas se van a realizar en el domicilio, en cambio, es necesario preparar también el entorno.

» Preparación del entorno

Si la exploración se realizará en el domicilio, es conveniente que acondicionemos el entorno antes de la llegada del personal sanitario:

- Nos aseguramos de que la temperatura de la habitación es adecuada y no hay corrientes de aire, especialmente si la persona se ha de desvestir o si está encamada y se ha de retirar la ropa de cama.

- Verificamos que el personal sanitario dispondrá de una buena iluminación. Si es necesario, colocamos una lámpara adicional.

- Preparamos una mesa auxiliar o vaciamos una de la habitación para que el personal sanitario pueda depositar el material o el instrumental.

- Preparamos los documentos que puedan ser necesarios: registros, volantes, cartilla de la persona, etc.

» Preparación de la persona

Cuando todo está listo para comenzar la exploración o la prueba, ayudamos a la persona a prepararse:

- Le explicamos qué va a ocurrir y cómo debe actuar, y solicitamos su colaboración.

- Si es el caso, la ayudamos a descubrir la zona del cuerpo que sea necesario exponer.

- Le explicamos en qué posición debe colocarse y la ayudamos mediante las movilizaciones que sean necesarias.

› Posiciones corporales

Posiciones del paciente

En función de la exploración o de la prueba que se va a realizar, la persona debe colocarse en una determinada postura, que facilite el acceso a la zona en que se debe intervenir. El personal técnico ayuda a que la persona se coloque correctamente y, si es necesario, la ayuda a mantener la posición durante la ejecución de la exploración o de la prueba.

Además de las posiciones erguida y sentada, las más habituales para la exploración son las que muestra la tabla siguiente:

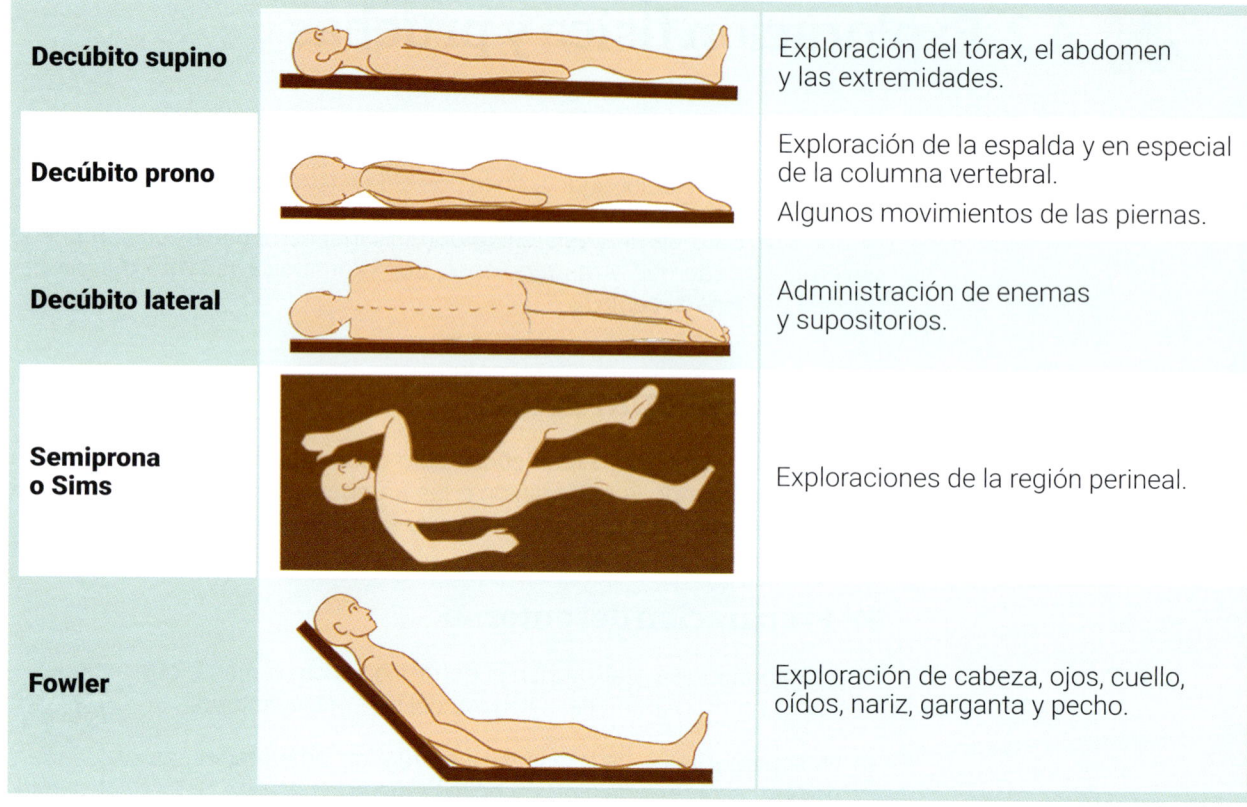

Decúbito supino		Exploración del tórax, el abdomen y las extremidades.
Decúbito prono		Exploración de la espalda y en especial de la columna vertebral. Algunos movimientos de las piernas.
Decúbito lateral		Administración de enemas y supositorios.
Semiprona o Sims		Exploraciones de la región perineal.
Fowler		Exploración de cabeza, ojos, cuello, oídos, nariz, garganta y pecho.

4.2.2. Actuaciones durante y después de la exploración

Durante la exploración y después de ella es importante contribuir al bienestar y la tranquilidad de la persona.

- **Durante la exploración:**
  - Presta la ayuda necesaria al personal sanitario, siguiendo siempre sus instrucciones.
  - Si es necesario ayuda a la persona a mantener la posición.
  - Proporciona confort y tranquilidad a la persona.

- **Después de la exploración:**
  - Ayuda a la persona a colocarse en una posición que le resulte cómoda: en pie, sentada en una silla, incorporada en la cama, etc.
  - Ayúdala a vestirse o a recolocar sus ropas.
  - Si la persona está encamada, acomódala después de arreglar la ropa de cama.
  - Recoge el material y los residuos, y procura que todo quede limpio y en orden.

 Actividades

2. Debes preparar a una persona encamada para una exploración. Describe cómo lo harás y detalla si habrá alguna diferencia según si la exploración se hace en un centro residencial o si se hace a domicilio.

3. Di cuál será la posición corporal más adecuada para cada una de estas situaciones:
  a) La realización de un electrocardiograma.
  b) La administración de un enema.
  c) Una exploración de la garganta.
  d) Una exploración de la columna vertebral.

4.3. Los signos vitales

Los signos vitales clásicos son la temperatura corporal, la frecuencia respiratoria (FR), la frecuencia cardiaca (FC) o pulso y la tensión arterial (TA). Son parámetros medibles que permiten valorar el funcionamiento de los principales aparatos del organismo y que se utilizan de forma cotidiana para realizar el seguimiento del estado de salud.

 Las constantes vitales

> Los **signos vitales** son parámetros cuyos valores informan sobre el funcionamiento general del organismo.

Tarea 1
¿Cuál es vuestro posicionamiento en el uso de datos médicos para proyectos de IA?

Dentro del seguimiento del estado de salud, el personal sanitario puede solicitar que la persona haga una medición periódica de todos o algunos de sus signos vitales. En el caso de una persona en situación de dependencia, suele ser necesario que sea otra persona quien haga las mediciones por ella o la ayude a hacerlas. En la atención domiciliaria, el personal técnico en APSD puede ser quien se ocupe de estas actividades.

¡Tenlo en cuenta!

 Medición de los signos vitales

> La medición de las constantes en los centros sanitarios y en algunos centros residenciales se realiza mediante equipos que hacen la medición y registran directamente los resultados en el sistema informático del centro.

Tarea 2
Valorar la gráfica de enfermería como medio para recoger y presentar datos

Los valores que se obtienen en las mediciones se deben registrar, para que sea posible hacer el seguimiento. La forma de hacer el registro será la que solicite el personal sanitario. Para cada signo se anotan, al menos, el valor obtenido y el día y la hora en que se ha realizado la medición.

Documento 4.1.
Modelo de hoja de registro de enfermería

La hoja tradicional de registro de enfermería suele ser semanal, diferenciando entre mañana, tarde y noche para cada día de la semana, e incluye el registro de los cuatro signos. Las anotaciones se hacen usando cuatro colores: negro para la frecuencia respiratoria (FR), verde para la tensión arterial (TA), azul para la frecuencia cardiaca (FC) y rojo para la temperatura (T).

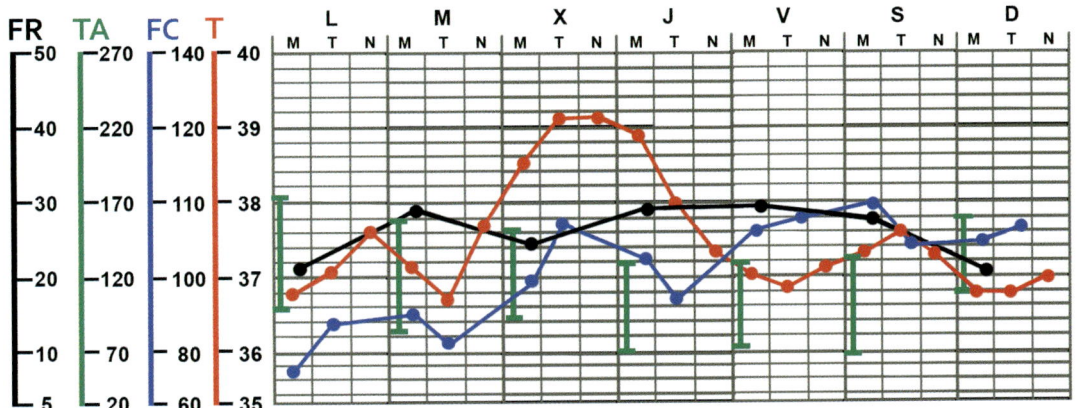

En este modelo vemos, por ejemplo, que la T se ha medido tres veces al día, mañana, tarde y noche, y que la tarde y noche del tercer día se ha elevado a los 39 °C. También podemos observar que la TA muestra dos valores para cada lectura: son la tensión máxima y la mínima.

4.3.1. La temperatura corporal

> La **temperatura corporal** es el grado de calor del cuerpo e indica el equilibrio entre el calor producido y el calor perdido.

›› Valores de temperatura corporal

Tarea 3
Integrar un chatbot para el monitoreo de la temperatura corporal

La temperatura corporal depende de distintos factores y existen diferencias de unas personas a otras, e incluso entre distintos momentos del día o etapas de la vida de una misma persona.

No obstante, se estima que el valor promedio de normalidad está sobre los 36,5 y 37 °C. Cuando este valor de normalidad se ve alterado se produce *hipotermia*, *fiebre* o *hipertermia*.

Hipotermia	Grave	Inferior a 30 °C
	Moderada	Entre 30 y 34 °C
	Leve	Entre 34 y 36 °C
Normalidad		Entre 36,5 y 37 °C
Fiebre	Febrícula	Entre 37 y 38 °C
	Fiebre	Entre 38 y 41 °C
Hipertermia		Superior a 41 °C

›› Medición de la temperatura corporal

El termómetro

La temperatura se mide fácilmente usando un termómetro, generalmente colocado en la axila (Proc. 4.1). El valor obtenido se debe anotar en la hoja de registro propuesta por el personal sanitario, haciendo constar la hora de la medición. Al valorar la temperatura, debemos tener en cuenta que, además del valor de la medición, también es importante observar la forma en que aquella se manifiesta:

● **Continua o constante**. Se mantiene uniformemente alta a lo largo del día.

● **Remitente**. Se producen fluctuaciones a lo largo del día. Es habitual que por la noche sea un poco más elevada que por la mañana.

● **Intermitente**. Se observan picos febriles con ascenso rápido de la temperatura, que se alternan con periodos sin fiebre.

Procedimiento 4.1.
Medir la temperatura corporal en la axila

Materiales

● Gel hidroalcohólico

● Guantes

● Termómetro

● Hoja de registro

Pasos a seguir

Preparativos: higiene de manos, colocación de guantes (si es necesario usarlos) y comunicación con la persona.

1. Dispón a la persona en decúbito supino, en posición de Fowler o de semi-Fowler.
2. Coloca la punta del termómetro en su axila y pídele que cruce el brazo sobre el pecho y lo inmovilice.
3. Cuando la señal acústica marque el final de la medición, retira el termómetro y lee el valor que muestra.
4. Anota el valor obtenido en la hoja de registro.

4.3.2. La frecuencia cardiaca

Tarea 4
Facilitar la medición del pulso por medio de un videotutorial

> La **frecuencia cardiaca** (FC) es el número de latidos que hace el corazón por minuto. Se expresa en pulsaciones por minuto (ppm).

›› Valores de frecuencia cardiaca

En personas adultas se considera normal una FC de entre 60 y 80 ppm, aunque puede haber variaciones por la influencia de distintos factores.

Es importante tener en cuenta que la frecuencia varía a lo largo de la vida. En neonatos es de 130-140 ppm, y a lo largo de la vida disminuye gradualmente, hasta llegar a 50-60 ppm en personas ancianas. Las alteraciones respecto a la frecuencia se denominan:

¡Tenlo en cuenta!

La FC aumenta con la temperatura corporal: a más temperatura corporal, más pulsaciones por minuto.

- **Taquicardia**: FC superior a 100 ppm. Se produce fisiológicamente en situaciones de esfuerzo físico o excitación, o por causas patológicas en casos de fiebre, hemorragia, *shock* o enfermedades cardiacas.

- **Bradicardia**: FC inferior a 60 ppm. Fisiológicamente, aparece en deportistas bien entrenados o durante el sueño. Por causas patológicas, en enfermedades cardiacas y en algunas intoxicaciones.

›› Medición de la frecuencia cardiaca

La FC se puede medir usando un pulsioxímetro, que es un pequeño dispositivo que se coloca en un dedo. Este equipo mide la saturación de oxígeno de sangre capilar, pero también muestra la FC. Así, se puede obtener la lectura directa de las ppm. Otra posibilidad para obtener las pulsaciones por minuto de una persona es tomarle el *pulso*.

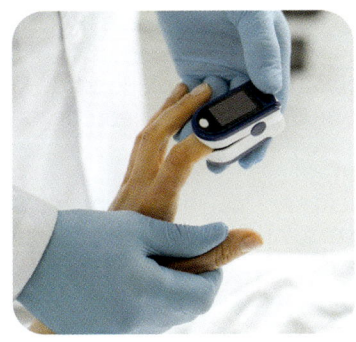

Fig. 4.2. Pulsioxímetro.

> El **pulso** es la dilatación de la arteria debido a la llegada de sangre procedente del corazón por la contracción cardiaca.

Procedimiento 4.2.
Tomar el pulso

Materiales

- Gel hidroalcohólico
- Guantes
- Cronómetro
- Hoja de registro

Pasos a seguir

Preparativos: higiene de manos, colocación de guantes (si es necesario usarlos) y comunicación con la persona.

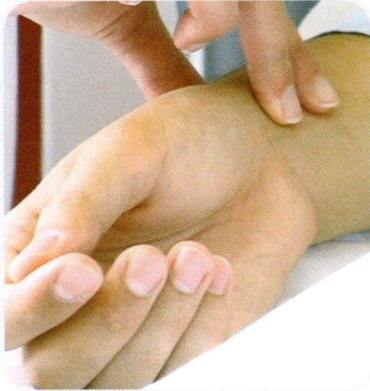

1. Localiza el punto de palpación, usando los dedos índice y medio. El punto más común se localiza en la muñeca, justo por encima del pulgar.
2. Presiona levemente con los dedos hasta notar las pulsaciones.
3. Cuenta las pulsaciones durante 30 segundos y multiplica el resultado por dos.
4. Anota el valor obtenido en la hoja de registro.

4.3.3. La frecuencia respiratoria

> La **frecuencia respiratoria** (FR) es el número de inspiraciones realizadas durante un minuto. Se expresa en respiraciones por minuto (rpm).

» Valores de frecuencia respiratoria

La FR normal en personas adultas está entre 12 y 20 rpm. Estos valores se modifican por aspectos como la edad, la actividad física o el estado emocional. Las alteraciones significativas de la FR se denominan:

- **Taquipnea**: FR superior a 20 rpm.
- **Bradipnea**: FR inferior a 12 rpm.
- **Apnea**: ausencia transitoria de respiración.

Además de la frecuencia, se pueden apreciar otros valores en la respiración:

- La **intensidad de los movimientos respiratorios**. Las alteraciones pueden ser:
  - **Hiperventilación o batipnea**. Es un aumento en la amplitud de los movimientos respiratorios, generalmente acompañada de una reducción en su frecuencia.
  - **Hipoventilación o respiración superficial**. Es una disminución de la profundidad de los movimientos respiratorios, acompañada de un aumento de la frecuencia.
- El **ritmo de las respiraciones**. En la respiración normal los movimientos inspiratorios y espiratorios se suceden con regularidad. Las alteraciones del ritmo son signos de dificultades respiratorias.

Tarea 5
Sensibilizar sobre la vigilancia de la respiración

» Medición de la frecuencia respiratoria

La medición se puede realizar de forma sencilla, observando los movimientos torácicos.

Procedimiento 4.3.
Medir la frecuencia respiratoria

Materiales

- Gel hidroalcohólico
- Guantes
- Cronómetro
- Hoja de registro

Pasos a seguir

Preparativos: higiene de manos, colocación de guantes (si es necesario usarlos) y comunicación con la persona.

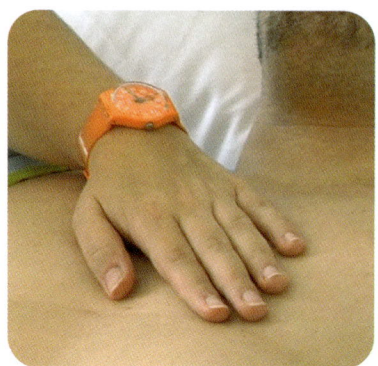

1. Coloca a la persona en decúbito supino, en posición de Fowler o de semi-Fowler.
2. Identifica los movimientos de expansión del tórax, con la vista o apoyando una mano sobre el tórax sin ejercer presión.
3. Cuenta los movimientos durante medio minuto y multiplica el resultado por dos.
4. Anota el valor obtenido en la hoja de registro.

4.3.4. La tensión arterial

> La **tensión o presión arterial** (TA) es la presión producida por la sangre cuando pasa por una arteria. Se expresa en milímetros de mercurio (mmHg).

Cada vez que el corazón late, bombea sangre, por lo que la presión en las arterias es más alta cuando los ventrículos se contraen y más baja cuando se relajan. Esto hace que se detecten dos valores:

● TAS o **tensión arterial sistólica**, más elevada, cuando los ventrículos se contraen y empujan la sangre hacia las arterias.

● TAD o **tensión arterial diastólica**, más baja, cuando los ventrículos se relajan y no hay salida de sangre hacia las arterias.

➤➤ Valores de tensión arterial

Los valores normales de TA en una persona adulta son entre 120 y 140 mmHg de máxima (TAS) y entre 70 y 90 mmHg de mínima (TAD).

Las alteraciones de la tensión pueden ser:

● **Hipotensión arterial**, cuando la TAS está por debajo de 90 o la TAD por debajo de 60 mmHg.

● **Hipertensión arterial**, cuando la TAS o la TAD se mantienen elevadas de forma sostenida.

El tensiómetro

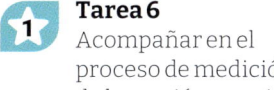
Tarea 6
Acompañar en el proceso de medición de la tensión arterial

➤➤ Medición de la tensión arterial

La medición se puede hacer usando un tensiómetro tradicional, un manguito y un fonendoscopio. En el ámbito doméstico se usan tensiómetros digitales.

Procedimiento 4.4.
Medir la tensión arterial

Materiales

● Gel hidroalcohólico

● Guantes

● Tensiómetro digital

● Hoja de registro

Pasos a seguir

Preparativos: higiene de manos, colocación de guantes (si es necesario usarlos) y comunicación con la persona.

1. Coloca a la persona en posición de Fowler o de semi-Fowler.

2. Coloca el manguito del tensiómetro en su brazo, uno o dos centímetros por encima del pliegue del codo y pídele que deje el brazo semiflexionado, de forma que el antebrazo quede a la altura del corazón.

3. Presiona el botón de encendido. El aparato insuflará aire y las cifras en pantalla irán variando; cuando haya completado la lectura emitirá un pitido y aparecerán dos valores en pantalla: la TAS y la TAD (máxima y mínima).

4. Retira el manguito.

5. Anota los valores obtenidos en la hoja de registro.

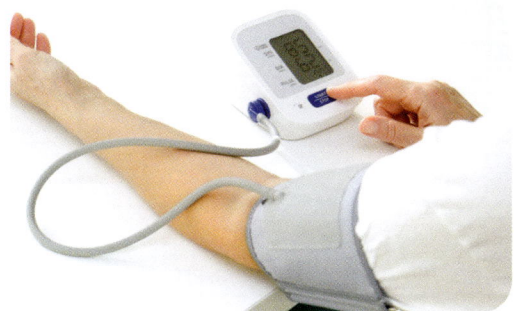

Actividades

4. Responde a las preguntas siguientes:

a) ¿Cuándo se dice que la fiebre es remitente?

b) ¿Qué significa que una persona tiene hipertermia?

c) ¿Qué temperatura corporal se define como hipotermia?

5. Lee las situaciones siguientes y determina qué alteración de la respiración describen y a qué se debe:

a) Después de una larga carrera, Juan respira de forma rápida y superficial, con una frecuencia de 32 respiraciones por minuto.

b) Mientras duerme la siesta, la abuela de Ana suele dejar de respirar durante 2 o 3 segundos en varias ocasiones.

c) Carlos, durante su examen final, comienza a respirar profundamente y a un ritmo acelerado, pareciendo ansioso.

6. Selecciona una de las situaciones de la actividad anterior y lleva a cabo la rutina **color, símbolo, imagen**.

7. Valora, para cada uno de los casos siguientes, si los valores de TA se encuentran o no dentro de la normalidad:

a) Juan, de 35 años: 16,5/10

c) Ricardo, de 19 años: 13,2/8,6

b) María, de 28 años: 12,8/8

d) Roberto, de 44 años: 13,7/9

8. En parejas, practicad la medición del pulso y la FR en situaciones diversas y observad las variaciones que se producen. Podéis anotar los resultados en una tabla como la siguiente:

Situación	P (ppm)	FR (rpm)	Observaciones
En reposo			-------------------
Después de saltar durante 30 segundos			-------------------
Después de una práctica de relajación de 10 minutos			-------------------
Después de tomar un café			-------------------

9. Formad parejas y practicad la determinación de la tensión. Hacedlo primero en un brazo y después en el otro. Anotad los resultados, así como las observaciones de la práctica.

10. Una persona presenta los signos vitales siguientes a lo largo de toda la semana. Pasa esta información a un gráfico siguiendo el modelo incluido en el DOCUMENTO 4.1. Después, comenta en qué estado se encuentra esta persona y cómo crees que evoluciona.

	Mañana				Tarde				Noche			
	T	FR	P	TA	T	FR	P	TA	T	FR	P	TA
Lunes	38,3	25	90	138/70	37,5	27	85	138/80	39,3	23	115	142/93
Martes	38,7	21	105	140/79	38,3	24	103	141/90	39,7	25	120	144/95
Miércoles	37,8	17	91	135/70	37,1	19	81	136/75	36,9	15	76	134/72
Jueves	37,3	17	88	138/78	36,9	18	74	134/70	36,4	13	72	134/71
Viernes	36,8	15	78	136/75	36,4	13	70	134/70	36,3	14	74	134/70

11. El registro de los signos vitales se suelen hacer mediante aplicaciones o directamente en el sistema informático del centro. Valora qué ventajas presenta el registro en el sistema informático respecto al registro manual.

4.4. El balance hídrico

Tarea 7
Facilitar la medición y registro del balance hídrico

El agua es el componente más importante de nuestro organismo, por lo que para mantener un buen estado de salud tiene que haber un equilibrio entre los líquidos que entran en nuestro organismo y los que salen de él.

> El **balance hídrico** (BH) es la diferencia entre las cantidades de líquido que entran en el organismo y las que salen.

En condiciones normales el balance debería ser cero, ya que el organismo debe recibir tantos líquidos como pierde. Si el volumen de líquidos aportados es superior al perdido el BH será positivo y en caso contrario, negativo.

4.4.1. El cálculo del balance hídrico

Para calcular el BH se deben obtener, durante 24 horas, las mediciones del volumen de los líquidos introducidos en el organismo y de los que este ha eliminado.

>> Las mediciones

El cálculo teórico del BH es muy sencillo, pero la determinación de los volúmenes puede ser complicada en la práctica.

> Medición de los volúmenes introducidos

Se debe medir el volumen de todos los líquidos que la persona toma, y anotarlos en la hoja de registro. De forma general se diferencia entre:

- **Volúmenes administrados por vía oral**: dietas, preparados comercializados, agua, zumos y otras bebidas. Es necesario anotar cualquier ingesta que la persona realice o que se le administre oralmente.

- **Volúmenes administrados por vía parenteral**: medicamentos, sueros, etc. El personal de enfermería administra estos productos y controla y registra los volúmenes. La medición en este caso es más sencilla y precisa que en la administración oral.

> Medición de los volúmenes eliminados

Se contabilizan como eliminaciones:

- **Volúmenes correspondientes a eliminaciones fisiológicas**, principalmente orina y heces. El mayor volumen de líquido lo aporta la orina, por lo que es muy importante medirla correctamente.

  Para medir el volumen de orina eliminado en 24 horas es necesario que en ese periodo toda la orina se recoja en cuñas o bolsas graduadas. De esta forma se puede hacer fácilmente la lectura del volumen contenido.

  Otras eliminaciones fisiológicas, como el sudor o la respiración, no se pueden medir y el personal de enfermería realiza estimaciones, a partir de los parámetros que tenga establecidos el centro.

- **Volúmenes correspondientes a eliminaciones patológicas**: vómitos, sondas, drenajes quirúrgicos, hemorragias, etc. Cuando es posible, se usan materiales de recogida volumétricos; cuando esto no es posible, el personal de enfermería realiza las estimaciones.

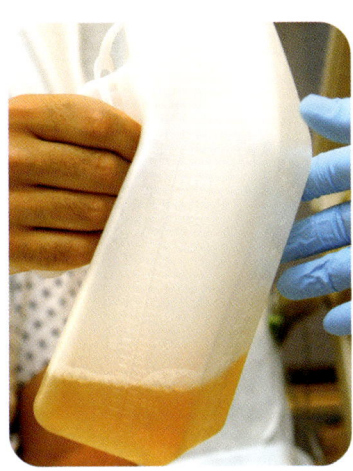

Fig. 4.3. Orinal de botella graduado.

›› Obtención del balance hídrico

La hoja de registro para el BH dispone de líneas diferentes con conceptos específicos para registrar cuantitativamente tanto las entradas como las salidas de líquidos.

Modelo de hoja de registro semanal del balance hídrico

Transcurridas las 24 horas, se suma el total de volúmenes introducidos por una parte y el de los volúmenes eliminados por otra. Al hacerlo se deben tener en cuenta las unidades en que está expresado cada volumen (ml, dl, cm^3, etc.) para evitar cometer errores de cálculo. Finalmente se restan el total de eliminados del total de introducidos y se obtiene el BH.

BH = Vol. total introducido − Vol. total eliminado

Si el volumen de líquidos introducidos es superior al eliminado, el BH será positivo, y en caso contrario, negativo.

4.4.2. Alteraciones del balance hídrico

En condiciones normales, el organismo ingiere los líquidos necesarios para compensar las pérdidas, de forma que el BH es cero (cada día recibe entre 2.300 y 2.600 ml de líquidos, y elimina un volumen similar). Pero en situaciones patológicas se pueden encontrar otros resultados:

- Si el volumen introducido es mayor que el volumen eliminado, el **BH es positivo**. En este caso, el organismo está reteniendo líquidos.

- Si el volumen introducido es menor que el volumen eliminado, el **BH es negativo**. En este caso, el organismo está perdiendo líquidos y se producirá una deshidratación.

El desequilibrio hídrico (positivo o negativo) puede comprometer el estado de salud y es una situación especialmente preocupante en personas de edad muy avanzada, así como en personas que tienen patologías cardiacas, renales o respiratorias.

Actividades

12. Una persona a la que atiendes te manifiesta dudas sobre la necesidad de controlar su ingesta y eliminación de líquidos. ¿Cómo le explicarías, con tus palabras, la importancia de controlar el BH y la necesidad de que colabore en este proceso?

13. Calcula tu equilibrio de líquidos en dos días. Puedes hacerlo aproximadamente contando los líquidos que bebes y que orinas. El resto de los ingresos y de las pérdidas las consideraremos constantes, tal como se muestra en esta tabla.

Aportaciones		Pérdidas	
Líquidos bebidos	--------	Orina	-------
Alimentos	650 ml	Deposiciones	150 ml
Propio metabolismo	150 ml	Vapor de los pulmones	350 ml
		Sudoración	450 ml
Total recomendable (aprox.)	2.300 ml	Total recomendable (aprox.)	2.300 ml

a) ¿Qué cantidad de líquidos has bebido?

b) ¿Qué cantidad de líquidos has expulsado con la orina?

c) ¿Mantienes un equilibrio adecuado entre aportaciones y pérdidas? (ten en cuenta las constantes de la tabla).

4.5. La glucemia

> La **glucemia** es la concentración de glucosa en la sangre.

La glucosa es la principal fuente de energía de las células. La sangre la distribuye por el organismo, para que todas las células puedan disponer de ella. Para que la glucosa penetre en las células es necesaria la presencia de una hormona sintetizada en el páncreas, la insulina.

Cuando hay alguna alteración de la insulina, la glucosa no puede entrar en las células y permanece en la sangre, lo que provoca un aumento de la glucemia (hiperglucemia).

4.5.1. La diabetes

> El déficit o el mal funcionamiento de la insulina provocan una enfermedad endocrina crónica denominada **diabetes**.

Se distinguen dos tipos básicos de diabetes:

- **Diabetes tipo 1**. El páncreas no produce insulina o produce muy poca. Las personas con diabetes tipo 1 necesitan inyectarse insulina, además de practicar un control estricto de la dieta y realizar ejercicio físico.

- **Diabetes tipo 2**. Se debe a una resistencia a la acción de la insulina. Un 95% de los casos de diabetes son del tipo 2. Las principales medidas que permiten prevenir la diabetes tipo 2 o retrasar su aparición son bajar de peso si tiene sobrepeso, consumir menos calorías y hacer más actividad física. Dependiendo del caso, la enfermedad se puede controlar con dieta y ejercicio, o puede ser necesaria una medicación oral. Si las medidas anteriores no son suficientes, la persona se deberá inyectar insulina, como en la diabetes tipo 1.

En los dos tipos de diabetes es muy importante mantener la glucemia bajo control, ya que un exceso habitual de glucosa en sangre puede causar complicaciones en distintas zonas del organismo, principalmente ojos, riñones y nervios. También puede ser causa de enfermedades cardiacas, derrames cerebrales e incluso de amputaciones de miembros.

Además de un seguimiento de la glucemia, los factores más destacados para el control de la diabetes son la regularidad en los horarios de comidas, una dieta adecuada y la práctica regular de ejercicio físico.

4.5.2. La glucemia capilar

Las personas con diabetes tipo 1, y algunas de las de tipo 2, deben controlar periódicamente su glucemia y actuar en consecuencia con el valor obtenido. La medición se realiza mediante un autoanálisis a partir de una muestra de sangre capilar, y se obtiene la *glucemia capilar*.

> La **glucemia capilar** es la medida de la concentración de glucosa en sangre, obtenida de los vasos más pequeños (capilares).

Los valores normales de glucemia capilar se hallan entre 65 y 110 mg/dl en ayunas; después de comer aumentan un poco, pero en un par de horas se normalizan. En personas con diabetes se aceptan como normales unos

Tarea 1
¿Cómo funciona el sistema endocrino?

Tarea 2
Saber más sobre la diabetes *mellitus*

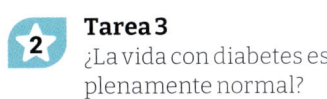
Tipos de diabetes y tratamiento

Tarea 3
¿La vida con diabetes es plenamente normal?

Tarea 5
Prevenir las complicaciones crónicas de la diabetes

Tarea 6
¿Cómo puede colaborar la familia?

Tarea 4
Identificar y actuar ante un coma diabético

niveles algo superiores, de hasta 140 mg/dl en ayunas y de hasta 180 mg/dl durante las dos horas posteriores a una comida.

A partir del valor obtenido en el autoanálisis, la persona decide si se debe inyectar insulina o no, y en qué dosis. Esto implica que el personal sanitario debe formar a la persona para que aprenda a valorar los resultados y tomar la decisión correcta. En la asistencia domiciliaria puede ser necesario que sea el personal técnico en APSD quien realice estas actividades.

» Hipoglucemia e hiperglucemia en personas con diabetes

En personas con diabetes pueden producirse trastornos debidos tanto a una *hipoglucemia* como a una *hiperglucemia*.

› Hipoglucemia en una persona con diabetes

Si la persona toma una dosis de insulina demasiado alta para sus necesidades o la toma antes de tiempo, el exceso de insulina reducirá en exceso el nivel de glucosa en sangre.

La hipoglucemia provoca síntomas como: palpitaciones, temblores, ansiedad, sudoración, hambre y debilidad. También puede causar manifestaciones neurológicas: irritabilidad, cefalea, dificultades de concentración, fatiga, somnolencia e, incluso, convulsiones y coma.

› Hiperglucemia en personas con diabetes

Si no hay insulina en la sangre o su cantidad es insuficiente, la glucosa no puede llegar hasta los tejidos y se acumula en la sangre, produciendo una hiperglucemia.

Cuando el organismo no puede conseguir suficiente energía a partir del metabolismo de la glucosa, comienza a metabolizar grasas y se produce un trastorno denominado cetoacidosis diabética.

La cetoacidosis diabética constituye una urgencia médica. Los síntomas pueden incluir náuseas y vómitos, polidipsia y poliuria, dolor abdominal, fatiga, rigidez muscular y calambres en las extremidades inferiores y alteraciones del nivel de consciencia.

» Medición de la glucemia capilar

La frecuencia con que se realizan las mediciones de glucemia capilar depende de las circunstancias individuales y es el equipo médico quien la establece. De modo general se suelen realizar:

● Antes de las comidas y dos horas más tarde.

● Antes de acostarse, dos o tres días por semana.

● Cuando la persona experimente síntomas de hipoglucemia.

● Siempre que realice actividades físicas extraordinarias.

Si la persona está en situación de dependencia puede necesitar ayuda para hacerlo o bien que otra persona haga la medición por ella.

Para medir la glucemia capilar se utiliza un **glucómetro**, aplicando el Procedimiento 4.5.

Procedimiento 4.5.
Medir la glucemia capilar

Medición de
la glucemia

Materiales

- Gel hidroalcohólico
- Guantes
- Dispositivo de punción y lancetas
- Glucómetro y tiras reactivas
- Hoja de registro

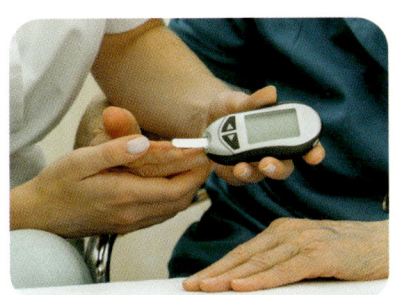

Pasos a seguir

Preparativos: higiene de manos, colocación de guantes y comunicación con la persona.

1. Lava el dedo en el que se realizará la punción y sécalo bien.
2. Pon en marcha el glucómetro e introduce una tira reactiva en él.
3. Inserta una lanceta en el dispositivo de punción.
4. Apoya el dispositivo de punción en un lateral del dedo y presiona el disparador. Aparecerá una gota de sangre.
5. Acerca la tira reactiva a la gota de sangre y deja que se impregne por capilaridad.
6. Sigue las instrucciones del equipo. En pocos segundos, el resultado aparece en su pantalla.
7. Retira la tira y la lanceta usadas y apaga el glucómetro. Si es necesario, presiona el dedo con un poco de algodón para detener la salida de sangre.
8. Anota los valores obtenidos en la hoja de registro.

4.5.3. La administración de insulina

La persona debe medir su glucemia capilar en los momentos que le hayan indicado y, si es necesario, calcular la dosis de insulina y administrarse correctamente la inyección.

≫ La zona de inyección

Las zonas en que se puede administrar la insulina son:

- **Abdomen**, en cualquier zona que tenga grasa subcutánea, dejando una zona libre alrededor del ombligo.
- **Brazos**, en su zona externa.
- **Muslos**, en las zonas superior y lateral externa.
- **Glúteos**, en su zona superior externa.

Es necesario ir cambiando las zonas de administración para evitar lesiones en el tejido subcutáneo. Se recomienda diseñar un sistema de rotación de las zonas de inyección y aplicarlo de manera habitual.

≫ La administración

La dosificación se expresa en unidades de insulina (UI). Los dispositivos para inyectar están preparados para medir unidades de insulina.

En entornos sanitarios la inyección se puede realizar con jeringuilla, mientras que en entornos domésticos se utilizan **bolígrafos o plumas de insulina**. Estos dispositivos usan cartuchos de insulina y resultan sencillos y cómodos de usar. Tienen un dial para seleccionar las unidades de insulina y un disparador para efectuar la inyección.

¡Tenlo en cuenta!

Las lancetas y agujas usadas se deben tirar inmediatamente tras su uso en un recipiente rígido adecuado.

Aunque hay varias diversas marcas y modelos, podemos dividirlos en dos categorías:

● **Desechables**. Están listos para utilizar y, una vez inyectada la insulina, se desechan.

● **Reutilizables**. Se cargan con cartuchos de insulina que sirven para varias administraciones y que, una vez acabados, se sustituyen. Para cada uso se coloca una aguja nueva y se ajustan las unidades de insulina que se van a administrar.

Procedimiento 4.6.
Administrar insulina

Administración de insulina

Materiales

● Gel hidroalcohólico.
● Guantes
● Dispositivo de punción y lancetas
● Glucómetro y tiras reactivas
● Hoja de registro

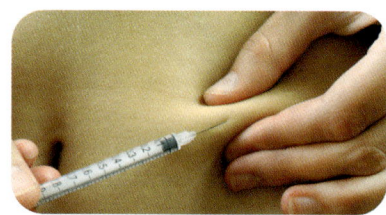

Pasos a seguir

Preparativos: higiene de manos, colocación de guantes y comunicación con la persona.

1. Selecciona, lava y seca bien el área de inyección.
2. Prepara el bolígrafo de insulina. Si es necesario, colócale una aguja y gradúa las unidades de insulina. La aguja se debe mantener cubierta hasta el momento de usarla.
3. Pellizca suavemente la piel y levanta un pliegue entre los dedos pulgar e índice.
4. Destapa la aguja del bolígrafo e insértala entera en el pliegue, en un ángulo de 90°.
5. Aprieta el disparador del bolígrafo para inyectar la insulina.
6. Suelta el pellizco, cuenta hasta 10 y retira la aguja de la piel. No debes frotar la piel después de sacar la aguja.
7. Anota la intervención en la hoja de registro (hora y UI inyectadas).

» El registro

Si bien todos los registros son necesarios, el registro de las intervenciones en caso de diabetes es especialmente importante, ya que determinará posibles cambios en la frecuencia de medición de la glucemia, en la dosificación de la medicación, en los tipos de insulina prescritos, en la dieta, etc.

El personal sanitario informará de los datos que es necesario registrar. El DOCUMENTO 4.2 muestra un ejemplo de hoja de registro diario.

Documento 4.2.
Ejemplo de hoja de registro diario para el control de la diabetes

Semana:	Desayuno		Comida		Cena		Noche		Observaciones
	Glucemia	UI	Glucemia	UI	Glucemia	UI	Glucemia	UI	
Lunes									
Martes									
Miércoles									
Jueves									
Viernes									
Sábado									
Domingo									

Actividades

14. A una persona usuaria a la que atiendes, diagnosticada de diabetes, le han prescrito un programa de tratamiento con insulina. Ayúdala a recordar cómo se debe practicar la medición digital de la glucemia. En parejas haced un *role-playing* sobre esta situación.

15. Busca información sobre glucómetros en internet. Escoge uno de ellos y lee la información que proporciona el fabricante sobre su uso. Redacta unas instrucciones de uso para ese equipo.

16. Utilizando el maniquí del aula, practica la administración de insulina con jeringuilla y con bolígrafo.

 RETO 4.1
Colaboración en el desarrollo de una app para monitorear los signos vitales

Tarea final: Realizar el informe para la *app* de VitalNet.

 RETO 4.2
¿Cómo explicar a mi familia que me han diagnosticado diabetes?

Tarea final: Preparación de la información para que la familia pueda colaborar en el manejo de la enfermedad.

¿Qué sabes ahora de...?

Reflexiona y valora tus conocimientos respecto a cada una de las siguientes cuestiones:

- ¿Sabes qué funciones desempeña el personal técnico en APSD en el control del estado de salud?
- ¿Sabes qué es la hipertermia?
- ¿Sabes qué nos indica la tensión arterial sistólica?
- ¿Sabes tomar el pulso?
- ¿Sabes cómo se calcula el balance hídrico?
- ¿Sabes cómo se valora y trata la diabetes?

 Ni idea

 Me suena

 Lo conozco

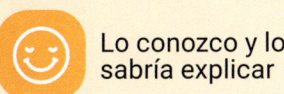 Lo conozco y lo sabría explicar

Apoyos en la preparación y administración de la medicación

¿Qué sabes de...?

- ¿Sabes qué es un medicamento?
- ¿Sabes para qué sirve una hoja de medicación?
- ¿Sabes cómo se administra un colirio?
- ¿Sabes qué es un reacción adversa a los medicamentos?

★ RETO 1

Participamos en el desarrollo de una app para la asistencia en la administración de medicamentos

1. Los medicamentos

2. La administración de medicamentos

Apoyos en la preparación y administración de la medicación

3. Las vías de administración

4. Riesgos asociados a los medicamentos

5.1. Los medicamentos

Un medicamento es toda sustancia o combinación de sustancias que cumpla, al menos, una de las siguientes funciones:

- **Tratamiento de enfermedades**. Por ejemplo, los antibióticos que se utilizan para tratar infecciones bacterianas.

- **Prevención de enfermedades**. Por ejemplo, las vacunas que se administran para prevenir la aparición de una determinada enfermedad.

- **Restauración, corrección o modificación de funciones fisiológicas**, mediante una acción farmacológica, inmunológica o metabólica. Por ejemplo, la insulina que se administran las personas que tienen diabetes o los antihistamínicos que se administran para corregir una reacción inmunológica exagerada.

- **Establecimiento de un diagnóstico médico**. Por ejemplo, los contrastes que se administran para realizar determinadas pruebas de radiodiagnóstico.

Los medicamentos contienen dos tipos de sustancias:

- **Principio activo**. Es el compuesto o fármaco que produce el efecto farmacológico en el organismo. Un medicamento puede tener uno o varios principios activos.

- **Excipientes**. Son sustancias que no tienen acción farmacológica, pero que se añaden al principio activo para que este sea más estable y fácil de administrar.

> Documento 5.1.
> ## La fitoterapia
>
> La fitoterapia es la ciencia que estudia la utilización de productos de origen vegetal con finalidad terapéutica, ya sea para prevenir, para atenuar o para curar un estado patológico. Aproximadamente el 98% de los medicamentos empleados actualmente derivan, directa o indirectamente, de principios activos que inicialmente fueron aislados de plantas, y que en la actualidad se sintetizan. Pero la fitoterapia no trata de estos medicamentos, sino de los que están elaborados con principios vegetales naturales. Estos principios se deben seleccionar y preparar siguiendo protocolos muy estrictos para que el producto resultante pueda tener consideración de medicamento.

5.1.1. El nombre de los medicamentos

El nombre de un medicamento está formado, como mínimo, por:

Nombre del medicamento = Denominación + Dosis + Forma farmacéutica

Por ejemplo, «Diazepam Normon 5 mg comprimidos».

- **Denominación**. En este ejemplo es Diazepam Normon. La denominación suele incluir, detrás del nombre del medicamento, el laboratorio fabricante.

- **Dosis**. Es el contenido de principio activo que tiene cada unidad de toma, de volumen o de peso del medicamento. En el ejemplo, la dosis es 5 mg y significa que cada comprimido contiene 5 mg de principio activo.

- **Forma farmacéutica**. Es la presentación que tiene el medicamento. En el ejemplo, la forma farmacéutica es el comprimido. Otras formas habituales son las cápsulas, los colirios, los colutorios, las pomadas, los aerosoles, etc.

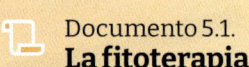 Formas farmacéuticas

5.1.2. Tipos de medicamentos

Se pueden establecer muchas clasificaciones de los medicamentos. Desde una perspectiva de la atención sanitaria, la más común es la que los organiza según la función que cumplen y los aparatos o sistemas sobre los que actúan (analgésicos, antiinflamatorios, antihistamínicos, mucolíticos, etc.).

Otra clasificación interesante es según la acción que provocan, que puede ser *local* o *sistémica*:

● Los **medicamentos de acción local** solamente actúan sobre el lugar en que se aplican, por ejemplo, las pomadas o los colirios.

● Los **medicamentos de acción sistémica** o general son absorbidos y transportados por la sangre y actúan sobre todo el organismo.

5.1.3. Principios de farmacología

¿Cómo actúan los medicamentos?

> La **farmacología** es la ciencia que estudia los medicamentos.

≫ ¿Qué ocurre con el medicamento una vez administrado?

Los pasos que siguen la mayoría de los medicamentos tras su administración se conocen como *proceso LADME*.

El proceso LADME

> **LADME** es el acrónimo de *liberación*, *absorción*, *distribución*, *metabolización* y *eliminación*, que son las fases que siguen la mayoría de los fármacos tras su administración.

1. **Liberación**. La forma farmacéutica se disgrega para liberar el principio activo.

2. **Absorción**. El principio activo se absorbe y pasa a la circulación.

3. **Distribución**. El principio activo se distribuye por el organismo y llega hasta sus dianas farmacológicas, es decir, los tejidos o células sobre los cuales debe actuar.

4. **Metabolización**. El principio activo se transforma en sustancias que pueden ser asimiladas y utilizadas por el organismo o que son eliminadas como tóxicas. Esta transformación se produce fundamentalmente en el hígado y da lugar a distintos metabolitos.

5. **Eliminación**. Es la salida del principio activo o de sus metabolitos del organismo. Se produce mayoritariamente por el aparato urinario.

¡Tenlo en cuenta!

Para que el efecto farmacológico sea el esperado, las dianas deben recibir suficiente principio activo (dosis terapéutica), lo que solo se consigue si se alcanza una concentración en sangre suficiente.

Si se administra poco medicamento no se alcanza la dosis terapéutica y el principio activo no consigue el efecto farmacológico esperado. Si se administra demasiado y se supera la dosis terapéutica, el efecto farmacológico no mejora, pero se pueden producir efectos tóxicos.

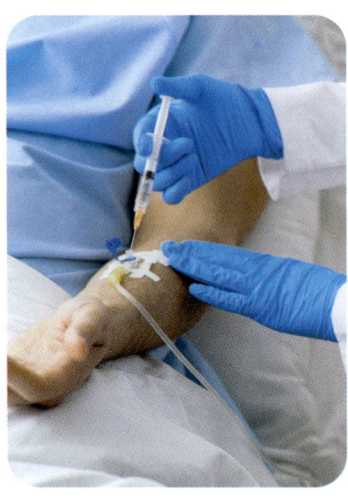

Fig. 5.1. Los medicamentos que se administran directamente en la sangre no pasan las fases de liberación y absorción.

No todos los medicamentos siguen el proceso LADME completo. Hay dos excepciones importantes:

● Los medicamentos que se administran directamente en la sangre (vía parenteral) no pasan las fases de liberación y absorción, sino que se distribuyen directamente por el sistema circulatorio. Esto implica que consiguen el efecto farmacológico de forma más rápida.

● Los medicamentos de acción local se depositan sobre la piel o sobre alguna mucosa, y se absorben y actúan en la zona de administración. No pasan a la circulación.

» ¿Cómo responde el organismo frente al medicamento?

La **respuesta farmacológica** es el efecto o cambio fisiológico que produce en el organismo la administración de un medicamento.

Hay dos parámetros importantes relativos a la respuesta farmacológica: la *intensidad* y la *velocidad*.

● **Intensidad de la respuesta farmacológica**. Está asociada a la cantidad de principio activo que alcanza su diana farmacológica. Depende en gran parte de la **biodisponibilidad** del medicamento, es decir, del porcentaje del principio activo administrado que alcanza su diana farmacológica. Por ejemplo, si administramos 100 mg de un medicamento que tiene una biodisponibilidad del 60 %, en realidad solo 60 mg de principio activo alcanzarán su diana farmacológica.

● **Velocidad de la respuesta farmacológica**. Es el tiempo que tarda en producirse la respuesta desde el momento en que se administra el medicamento. La **vía de administración** es un factor clave en este caso: la vía intravenosa es la que consigue una respuesta más rápida, mientras que las vías que requieren una liberación y una absorción del principio activo proporcionan respuestas más lentas.

Actividades

Diagrama de flujo lineal    Mapa mental

1. Interpreta estos nombres de medicamentos:

   a) Reinart 50 mg cápsulas duras EFG.

   b) Morfina Serra 10 mg/ml solución inyectable.

   c) Venorugel 20 mg/g gel.

   d) Amoxicilina Normon 500 mg sobres EFG.

2. Responde a estas preguntas:

   a) ¿Qué es la dosis de un medicamento?

   b) ¿Cuál es la función de los excipientes en un medicamento?

   c) ¿Qué significa que un medicamento tiene una acción sistémica?

3. Cita cinco formas farmacéuticas. Busca un ejemplo de un medicamento que se presente en más de una forma farmacéutica.

4. Elabora un **diagrama de flujo lineal** que muestre las fases del proceso LADME.

5. Los medicamentos que se administran por vía parenteral no pasan el proceso LADME completo. Cita las fases por las que no pasan y explica por qué.

6. Elabora un **mapa mental** que relacione los conceptos de *biodisponibilidad* y *concentración terapéutica*.

5.2. La administración de medicamentos

Las personas en situación de dependencia pueden requerir ayuda para tomar sus medicamentos. En ocasiones solo es necesario recordarles qué medicamento deben tomar en cada momento, aunque en otros casos es necesario administrárselos.

Cuando es el personal técnico en atención a personas en situación de dependencia (APSD) el que se va a ocupar del tratamiento farmacológico, debe recibir instrucciones del personal sanitario y aplicar rigurosamente las pautas de administración que se le indiquen.

5.2.1. Información sobre el tratamiento farmacológico

Tarea 1
Interpretar correctamente el plan de medicación

Los medicamentos que deben tomar las personas a las que atendemos están prescritos por el personal médico mediante una *receta médica*.

Y en el envase de cada medicamento encontramos un *prospecto*, que proporciona información sobre el medicamento.

Para facilitar la correcta administración y registro, se suele preparar una *hoja de medicación*, que además sirve como documento de registro.

»» La receta

> La **receta médica** es el documento normalizado mediante el cual los profesionales legalmente facultados prescriben medicamentos o productos sanitarios al paciente para su dispensación.

Hay distintos tipos de recetas, pero los aspectos comunes a todas ellas que nos interesan para obtener información son:

- Los datos de la **persona usuaria**, para confirmar que la receta es para esa persona.

- Los datos del o de la **profesional que prescribe**.

- Los datos del **medicamento**, para identificarlo correctamente:
    - Denominación del medicamento o nombre del principio activo.
    - Forma farmacéutica y dosis. Por ejemplo: cápsulas 250 mg.
    - Vía de administración, si corresponde. Por ejemplo: vía tópica.
    - Formato, que es el contenido del envase. Por ejemplo: 12 comprimidos.

- Los datos de la **prescripción** que se realiza a esa persona:
    - Número de envases o de unidades que se le deben dispensar.
    - Posología. Por ejemplo: 1 cápsula cada 8 horas.
    - Duración del tratamiento.

- **Fecha** de la prescripción.

Fig. 5.2. La receta electrónica permite recoger los medicamentos prescritos en la farmacia, presentando la tarjeta sanitaria.

Además, las recetas van acompañadas de un **plan de medicación** destinado a la persona usuaria, que detalla los medicamentos que tiene prescritos y la información necesaria para seguir correctamente su tratamiento.

Ejemplo de plan de medicación

›› El prospecto

El **prospecto** es un folleto que acompaña al medicamento y va dirigido a las personas usuarias. Contiene toda la información necesaria para un uso correcto y seguro.

Está dividido en varios apartados:

- **¿Qué es y para qué se utiliza?** Indica el tipo de actividad que realiza el medicamento y las enfermedades para las cuales está indicado.

- **Antes de tomarlo**. Recoge indicaciones que se deben tener en cuenta antes de empezar a tomar el medicamento. Incluye contraindicaciones, precauciones en su empleo, posibles interacciones con alimentos u otros medicamentos, etc.

- **¿Cómo tomarlo?** Detalla las indicaciones necesarias para una buena utilización del medicamento: forma y, si es necesario, vía de administración, medidas que se deben tomar en caso de sobredosis, qué ha de hacer la persona si ha olvidado tomar una o varias dosis, etc.

- **Posibles efectos adversos**. Incluye la lista de efectos adversos que pueden esperarse al tomar el medicamento.

- **Conservación e información adicional**. Detalla las precauciones especiales de conservación o las advertencias que necesite el medicamento. También las precauciones que deban adoptarse para la eliminación del contenido no utilizado.

Fig. 5.3. El prospecto aporta la información necesaria para un uso correcto y seguro del medicamento.

›› La hoja de medicación

En las situaciones en que es necesario administrar los medicamentos o hacer un seguimiento del tratamiento a una persona en situación de dependencia, se elabora una *hoja de medicación*, que recoge la información básica del tratamiento y a la vez permite registrar cada administración.

La **hoja de medicación** es una herramienta que muestra el tratamiento farmacológico que debe seguir una persona y que permite el registro de las administraciones.

Una hoja de medicación incluye:

- Los datos identificativos de la persona usuaria.

- Una lista de los medicamentos prescritos que incluye, para cada uno:

  - Nombre del medicamento, detallando la denominación, la dosis y la forma farmacéutica.

  - Fecha de comienzo y, si corresponde, de final del tratamiento.

  - Posología, es decir, la dosis y la frecuencia de cada toma. Por ejemplo: «1 cápsula cada 8 horas», «10 mg cada 4 horas» o «un sobre después de cenar».

  - Vía de administración.

  - Espacio para registrar cada administración, indicando día y hora.

El uso de hojas de medicación facilita el correcto seguimiento del tratamiento por parte de personas que toman varios medicamentos y es una herramienta de control y registro de las intervenciones.

En el caso de la atención domiciliaria, se pueden usar modelos sencillos, como el siguiente. En él está incluida la información básica sobre el tratamiento farmacológico y solo es necesario marcar la casilla o las casillas correspondientes tras cada administración.

Fecha: 27/02/2025

Medicamento	Desayuno	Media mañana	Comida	Merienda	Cena	Noche
DUPHALAC Solución oral 0,67 g/ml	2 cuch. soperas				2 cuch. soperas	
COLIRCUSI GENTADEXA Colirio en solución 0,5 mg Hasta 1/03/2025	1 gota (8 horas)	1 gota (12 horas)	1 gota (16 horas)	1 gota (20 horas)	1 gota (24 horas)	1 gota (4 horas)
RECTO MENADERM Pomada rectal 0,125 mg/g						
NOVOMIX 30 FLEXPEN Inyectable	6 unidades				6 unidades	

Observaciones:
El colirio solo una semana, hasta el 1/03/2025 (1 gota/4 horas).
La pomada rectal solo tras deposición.
Ajustar dosis de insulina según indicaciones médicas.

 El plan de medicación

Este tipo de hojas también se pueden preparar para personas capaces de tomar su medicación, pero que tienen dificultades debido al gran número de medicamentos que toman. De esta forma tienen una guía para saber qué deben tomar en cada momento y espacio para marcar los medicamentos que ya han tomado.

5.2.2. Pautas básicas de la administración de medicamentos

La administración de medicamentos es una tarea que debe llevarse a cabo de forma segura y correcta, ya que un error en la medicación o en la forma de administración puede tener consecuencias graves.

En cualquier procedimiento de administración de medicamentos es necesario cumplir unas fases previas, que nunca debemos omitir:

1. **Verifica la persona y el medicamento:**
   - Verifica que la hoja de medicación corresponde a la persona a quien vas a administrar los medicamentos.
   - Verifica que el medicamento que tienes se corresponde con el que consta en la hoja (nombre, dosis y forma farmacéutica), que la hora de administración es la correcta y que el medicamento no está caducado.

2. **Informa a la persona y solicita su colaboración**. Da instrucciones a la persona sobre cómo debe tomar el medicamento, o bien infórmala sobre el procedimiento que vas a seguir para administrárselo y la forma en que puede colaborar.

3. **Prepara el material, si es necesario**. En ocasiones se requieren gasas, antiséptico, un vaso de agua, un inhalador u otros materiales. En estos casos, prepara todo lo necesario antes de empezar el procedimiento.

4. **Haz una higiene de manos**. Y, si el procedimiento lo requiere, ponte unos guantes.

Tarea 2
Asegurar el
cumplimiento del
tratamiento

5. **Administra el medicamento**, siguiendo las pautas que correspondan según la vía de administración. Pide la colaboración de la persona, para que participe en la medida de sus posibilidades.

6. **Informa a la persona sobre:**
   - Si debe hacer alguna cosa tras la administración: mantener la posición unos minutos, sujetar un apósito, no beber o comer en un rato, etc.
   - Si puede notar algún efecto previsible: «le va a picar durante un ratito», «se le puede hinchar un poco, pero es normal», «notará mal gusto en la boca, pero se va enseguida», etc.
   - Si hay alguna manifestación de la cual deba avisar: «si tiene náuseas, avísenos», «si nota que se marea, avísenos», etc.

7. **Recoge el material y los residuos** y deposítalos en el lugar que les corresponda.

8. **Haz una higiene de manos**, tras retirarte los guantes, si los has usado.

9. **Registra el procedimiento**. Las hojas de medicación están pensadas para servir también como hoja de registro. Según el modelo, se anota la hora de administración o simplemente se marca la casilla correspondiente al medicamento y momento de la administración. También existen modelos informatizados, con un funcionamiento equivalente. Estas hojas incluyen una sección de observaciones, en la cual se anota cualquier incidencia que se haya producido durante la administración.

Actividades
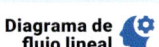
Diagrama de flujo lineal

7. La hoja de medicación es una herramienta que proporciona seguridad a la persona tratada y también a la persona que administra la medicación. Explica esta afirmación.

8. Observa el siguiente fragmento de una hoja de medicación diaria y responde a las preguntas que te planteamos a continuación:

Medicamento	Primera hora mañana	Desayuno	Media mañana	Comida	Tarde	Cena	Noche
Omeprazol 20 mg comp.					20 h 1 comp.		
Lorazepam 1 mg comp.							22 h 1 comp.
Levosulpirida 25 mg comp.	~~6 h 1 comp.~~			14 h 1 comp.			22 h 1 comp.
Lactulosa 10 g solución oral en sobre	~~6 h 1 sobre~~			14 h 1 sobre			22 h 1 sobre
Paracetamol 1 g comp.	~~6 h 1 comp.~~			14 h 1 comp.			22 h 1 comp.
Dexametasona 4 mg comp.		8 h 1 comp.					

   a) ¿Qué medicamentos se deben administrar a las 14 h?

   b) ¿Qué medicamentos se han administrado ya hoy? ¿Cuál es el siguiente que corresponde administrar?

9. Elabora un **diagrama de flujo lineal** con los pasos básicos de la administración de medicamentos.

5.3. Las vías de administración

> La **vía de administración** de un medicamento es el acceso por el cual se introduce o aplica en el organismo.

Se distinguen dos tipos de vías de administración:

- **Vías indirectas**. El principio activo se absorbe a través de la piel o de alguna mucosa. Algunas vías tienen acción sistémica, mientras que otras tienen una acción local.

- **Vías directas o parenterales**. El principio activo se deposita mediante punción. Proporcionan mejor biodisponibilidad y consiguen una respuesta farmacológica más rápida. Excepto la administración subcutánea, que se aplica, por ejemplo, para administrar insulina, las demás administraciones parenterales las lleva a cabo el personal de enfermería.

5.3.1. Administración por vía oral

Tarea 3
¿Cómo administrar la medicación por vía oral?

> La **administración por vía oral** es aquella en la cual el medicamento se deposita en la boca. Tiene un efecto sistémico.

Las siguientes son algunas de las formas farmacéuticas más habituales para la administración por vía oral:

- **Cápsulas**. Tienen una cubierta en cuyo interior está el medicamento. Se deben tragar acompañadas de suficiente agua sin abrirlas antes y sin dejar que la cubierta se deshaga en la boca.

- **Comprimidos**. Están formados por polvos compactados. Para cada producto se establecen sus pautas de administración: tragados, disueltos en la boca, masticados, disueltos en agua y bebidos, etc.

- **Polvos y granulados**. Se presentan en sobres, cuyo contenido se ha de disolver en agua. Si no hay otras instrucciones, se disuelve todo el contenido de un sobre en medio vaso de agua.

- **Jarabes**. Son una forma farmacéutica líquida. Para administrarlos se debe medir correctamente la cantidad y limpiar el dispositivo de dosificación (cucharilla, vasito, etc.) tras cada uso.

¡Tenlo en cuenta!

Los jarabes contienen una concentración elevada de azúcar, por lo que no son adecuados para personas que tengan diabetes.

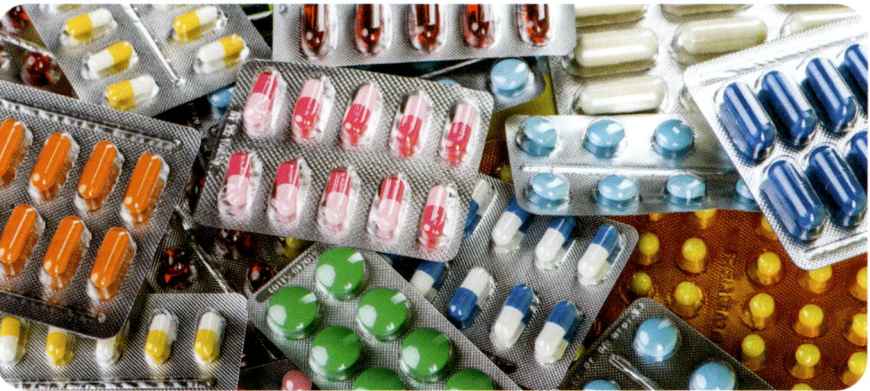

Fig. 5.4. Medicamentos de administración oral.

En la administración sublingual, el medicamento también se deposita en la boca, pero en este caso la persona debe colocarlo debajo de la lengua y dejar que se deshaga y absorba en esa zona.

5.3.2. Administración por vía inhalatoria

En la **administración por vía inhalatoria o respiratoria** el medicamento es inspirado y llega a los pulmones.

Podemos distinguir entre:

● **Aerosolterapia**, en la cual se administra un medicamento en polvo o líquido mediante un dispositivo que forma un aerosol que la persona inhala.

● **Oxigenoterapia**, en la cual se administra oxígeno con condiciones establecidas de presión, flujo y humedad, con el objetivo de mantener unos niveles de oxigenación adecuados en el organismo.

La oxigenoterapia es un tratamiento terapéutico y el oxígeno tiene en este caso la consideración de medicamento.

Las administraciones por vía inhalatoria se deben realizar con especial precaución y adoptando las máximas medidas higiénicas, ya que el aerosol irá directamente a los pulmones.

» Aerosolterapia

La administración de medicamentos inhalados se realiza con dos tipos de dispositivos: los *inhaladores* y los *nebulizadores*.

› Administración con inhaladores

Tarea 4
¿Cómo ayudar en la administración de un inhalador?

Los inhaladores generan aerosol a partir de un medicamento en polvo. Los hay de dos tipos:

● **Inhaladores presurizados**. El medicamento se encuentra dentro de un envase presurizado, que se acopla al inhalador. Al presionar el inhalador se libera el medicamento en forma de aerosol. (PROC. 5.1)

En las personas que no pueden colaborar en el uso de inhaladores presurizados, se acopla a una cámara espaciadora al dispositivo, que permite respirar el contenido en varias inhalaciones.

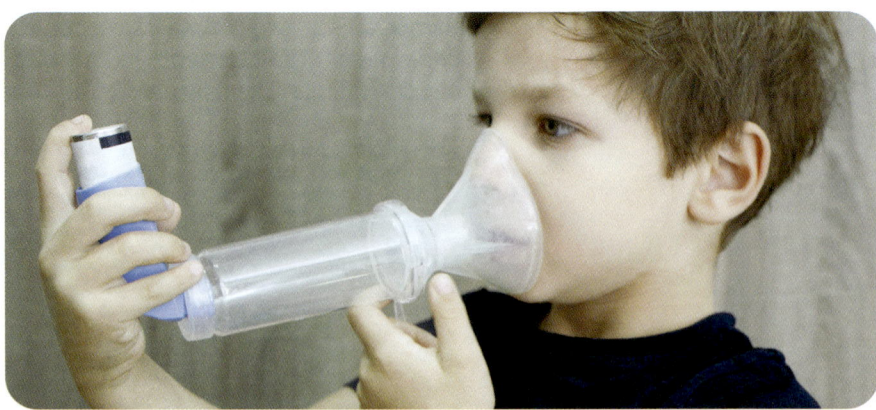

Fig. 5.5. Inhalador presurizado con cámara espaciadora.

¡Tenlo en cuenta!

Si la persona debe realizar una segunda inhalación es necesario que espere 30 segundos tras la primera para que el dispositivo vuelva a estar preparado, de lo contrario la segunda inhalación podría contener una dosis incorrecta.

Procedimiento 5.1.
Administración de medicamentos con inhalador presurizado

Materiales

- Gel hidroalcohólico
- Guantes
- Inhalador presurizado
- Vaso con agua

Pasos a seguir

Preparativos: higiene de manos, colocación de guantes y comunicación con la persona.

1. Ayuda a la persona a sentarse.
2. Retira la cubierta del inhalador, coloca la carga (si es necesario) y agita enérgicamente.
3. Pide a la persona que haga una espiración profunda para expulsar todo el aire.
4. Coloca el inhalador en su boca, sobre la lengua, y pídele que cierre los labios alrededor de la boquilla.
5. Pídele que haga una inspiración profunda y aprieta el inhalador durante esta inspiración.
6. Indícale que aguante la respiración durante 8-10 segundos con la nariz tapada, y que luego suelte el aire lentamente.
7. Ofrécele un vaso de agua para que se enjuague la boca.
8. Registra la administración.

- **Inhaladores de polvo seco (IPS)**. Es un sistema de administración inhalatoria parecido al anterior, pero en este caso la liberación de la dosis la activa la propia inspiración. (Proc. 5.2)

Procedimiento 5.2.
Administración de medicamentos con inhalador de polvo seco

Materiales

- Gel hidroalcohólico
- Guantes
- Inhalador de polvo seco
- Vaso con agua

Pasos a seguir

Preparativos: higiene de manos, colocación de guantes y comunicación con la persona.

1. Ayuda a la persona a sentarse.
2. Retira la tapa que cubre la boquilla.
3. Si el inhalador es multidosis, actívalo siguiendo las instrucciones del fabricante.
4. Coloca la boquilla del inhalador entre los dientes de la persona y pídele que ajuste bien los labios alrededor.
5. Pídele que comience a inspirar profunda y rápidamente por la boca. Debe mantener la inspiración durante 8-10 segundos y expulsar el aire lentamente.
6. Retira el inhalador y colócale la tapa.
7. Ofrece a la persona un vaso con agua para que se enjuague la boca.
8. Registra la administración.

❯ Administración con nebulizador

Los nebulizadores son equipos eléctricos capaces de nebulizar medicamentos líquidos. El equipo tiene una cubeta para introducir el medicamento líquido y una conexión para acoplar el dispositivo de administración que corresponda (gafa nasal, mascarilla facial, mascarilla traqueal, etc.).

Fig. 5.6. Nebulizador.

La mayoría de los nebulizadores disponen de compresores de aire para crear el vapor que contiene el medicamento, aunque también los hay que lo hacen mediante vibraciones sonoras (nebulizadores ultrasónicos).

›› Oxigenoterapia

En cualquier sistema de administración de oxígeno podemos agrupar los materiales necesarios en tres grupos, según su función:

- **Fuente de suministro**, que almacena el oxígeno comprimido.

- **Dispositivos de regulación**, que proporcionan al gas las propiedades adecuadas para su administración. Son:

  - **Manorreductor**. Permite establecer la presión a la que queremos que el oxígeno pase hacia el dispositivo de administración.

  - **Caudalímetro**. Permite establecer el flujo de oxígeno que recibirá la persona, es decir, la cantidad de litros de oxígeno por minuto.

  - **Humidificador**. Añade agua al oxígeno. El oxígeno se ha licuado, enfriado y secado para comprimirlo y poder almacenarlo más fácilmente. Si se administra en estas condiciones con flujos altos, las vías aéreas se resecarán. Por esta razón, el oxígeno que sale de la fuente de suministro en algunos casos se humidifica antes de proceder a su administración.

- **Dispositivos de administración**, que llevan el gas hasta el aparato respiratorio de la persona. Estos dispositivos se conectan a la fuente de suministro en el caso de bombonas o balas, o a una conexión en la pared si se trata de un centro que dispone de instalación de oxígeno. Los dispositivos más comunes son las gafas nasales, aunque también hay distintos tipos de mascarillas.

Puesto que la oxigenoterapia es un tratamiento terapéutico, los valores que se deben establecer en los dispositivos de regulación, el tipo de dispositivo de administración que se utilice y el tiempo de administración estarán incluidos en la prescripción.

Procedimiento 5.3.
Oxigenoterapia

Oxigenoterapia

Materiales

- Gel hidroalcohólico
- Guantes
- Fuente de suministro y dispositivos de regulación de oxígeno
- Gafa nasal o mascarilla

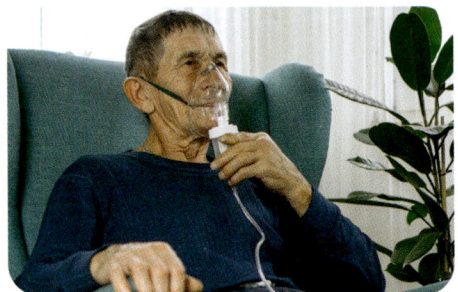

Pasos a seguir

Preparativos: higiene de manos, colocación de guantes y comunicación con la persona.

1. Incorpora a la persona y pídele que se suene.

2. Conecta el extremo de la cánula de la gafa o de la mascarilla a la conducción que sale del humidificador o a la toma de oxígeno, según cuál sea el dispositivo.

3. Coloca la gafa nasal o la mascarilla.

4. Selecciona en el caudalímetro el flujo de oxígeno prescrito y a continuación abre el grifo o la válvula.

5. Registra el procedimiento.

5.3.3. Administración por vía transdérmica

> La **administración por vía transdérmica** se refiere a medicamentos en forma de parches que se aplican sobre la piel.

Estos dispositivos pueden hacer llegar el principio activo al sistema circulatorio a una velocidad programada y durante un periodo establecido. Con esto se consigue una cesión continuada del principio activo para mantener un nivel plasmático idóneo. La zona en que se va a colocar el parche se debe lavar y secar bien. Seguidamente se aplica el parche y se presiona con la palma de la mano durante unos 30 segundos para que quede bien fijado.

5.3.4. Administración por vía rectal

Tarea 5
¿Cómo administrar un supositorio?

> La **administración por vía rectal** es aquella en que el medicamento se introduce en el recto. Puede tener un efecto sistémico o local.

Las formas farmacéuticas más habituales para la administración por esta vía son los *supositorios* y las *pomadas, geles y cremas*.

- Los **supositorios**. Son la forma farmacéutica clásica de administración rectal. Mayoritariamente son de efecto sistémico, aunque también los hay con efecto local. (PROC. 5.4)

- Las **pomadas, cremas y geles**. Todos estos productos tienen un efecto local. Se suelen presentar en envases con aplicador, que es una cánula que se acopla al tubo. Para administrarlos se acopla el aplicador al tubo, se introduce este en el recto y se oprime el tubo para que salga el medicamento. Seguidamente se retira el aplicador sin dejar de oprimir. Para terminar, se separa el aplicador del tubo, se tapa el tubo con su tapón y se limpia el aplicador.

¡Tenlo en cuenta!

Por cuestiones de higiene y para evitar infecciones o contagios, las pomadas y cremas rectales no se deben compartir.

Procedimiento 5.4.
Administración de supositorios

Materiales

- Gel hidroalcohólico
- Guantes
- Supositorio

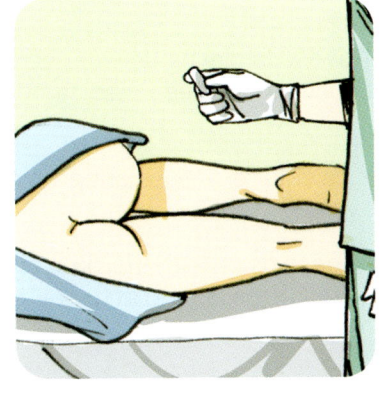

Pasos a seguir

Preparativos: higiene de manos, colocación de doble guante y comunicación con la persona.

1. Ayuda a la persona a colocarse en posición de Sims o decúbito lateral con la pierna superior flexionada.
2. Lubrifica el supositorio y tu dedo índice de la mano dominante.
3. Separa las nalgas de la persona con la mano no dominante.
4. Pídele que respire profundamente por la boca para favorecer la relajación del esfínter anal. Cuando lo haga, introduce el supositorio, empujándolo con el dedo índice lubricado.
5. Cierra las nalgas y mantenlas presionadas durante unos segundos.
6. Limpia con una gasa el exceso de lubrificante.
7. Pide a la persona que se mantenga acostada en la misma posición durante unos 10 o 15 minutos.
8. Registra la administración.

5.3.5. Administración por vía vaginal

La **administración por vía vaginal** es aquella en la que el medicamento se introduce en la vagina. Puede tener un efecto sistémico o local.

Existen diversas formas farmacéuticas para su administración por vía vaginal: óvulos (similares a los supositorios), soluciones, geles, espumas y anillos vaginales. (PROC. 5.5)

La mayoría de estos medicamentos son de acción local y actúan sobre la mucosa vaginal. Pero también podemos encontrar algunos que están diseñados para tener un efecto sistémico.

Procedimiento 5.5.
Administración de medicamentos por vía vaginal

Materiales

- Gel hidroalcohólico
- Guantes
- Medicamento
- Compresa ginecológica

Pasos a seguir

Preparativos: higiene de manos, colocación de guantes y comunicación con la persona.

1. Pide a la mujer que orine y realice un lavado perineal. Si es necesario, realiza el lavado.
2. Ayúdala a colocarse en posición ginecológica.
3. Separa los labios mayores, introduce suavemente el aplicador dentro de la vagina y empuja el émbolo. Seguidamente, retira el aplicador.
4. Coloca una compresa ginecológica.
5. Pide a la mujer que permanezca unos 30 minutos en decúbito supino.
6. Registra la administración.

5.3.6. Administración por vías tópicas

La **administración por vía tópica** consiste en aplicar el medicamento sobre la piel o sobre mucosas de orificios naturales para conseguir un efecto local en la zona de aplicación.

En función de la zona donde se aplique, la administración puede ser *dérmica*, *ocular*, *ótica* o *nasal*.

Tarea 6
¿Cómo administrar una pomada por vía ocular?

❯❯ Vía dérmica o cutánea

La administración se efectúa directamente sobre la piel, en la zona que se debe tratar, para ser absorbida por esta. Por eso la piel ha de estar perfectamente limpia y seca. El procedimiento dependerá de cada medicamento, pero en general:

- Las pomadas y cremas se aplican tras calentar el envase entre las manos unos minutos y en la dirección del vello.

- Las lociones oleosas se aplican con una gasa o con la mano, en la dirección del vello. Antes de abrir estos envases es necesario agitarlos para homogenizar su contenido.

- Los aerosoles se agitan y se aplican manteniéndolos a la distancia recomendada en el prospecto.

¡Tenlo en cuenta!

El medicamento se absorbe a través de la piel, por tanto, si realizas la administración sin usar guantes tu piel absorberá también el medicamento.

¡Tenlo en cuenta!

Algunos colirios pueden causar visión borrosa durante unos minutos.

>> Vía ocular

Los medicamentos que se administran por vía ocular, oftálmica o conjuntival se depositan en el saco conjuntival, entre el párpado inferior y el ojo. Las formas farmacéuticas que se administran por esta vía son colirios y pomadas oculares. (PROC. 5.6)

Algunas precauciones especiales en el uso de estos medicamentos son:

● Es necesario evitar contaminarlos durante la aplicación, ya que se trata de medicamentos estériles.

● El aplicador no debe contactar con la conjuntiva.

Procedimiento 5.6.
Administración de medicamentos por vía ocular

La administración vía ocular

Materiales

● Gel hidroalcohólico

● Guantes, preferiblemente estériles

● Medicamento

● Gasa estéril

● Suero estéril

Pasos a seguir

Preparativos: higiene de manos, colocación de guantes y comunicación con la persona.

1. Limpia el ojo con una gasa estéril mojada con suero estéril desde el ángulo interno hacia el externo.

2. Pide a la persona que incline la cabeza hacia atrás y mire hacia arriba.

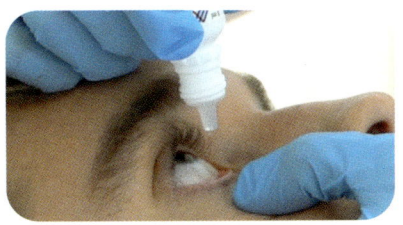

3. Baja su párpado inferior y deposita el medicamento en el ángulo interno del ojo.

4. Pídele que mantenga el ojo cerrado durante 30-60 segundos.

5. Registra la administración.

>> Vía ótica

La vía ótica se utiliza para administrar medicamentos de acción local en afecciones del oído. El medicamento se presenta en forma líquida (gotas óticas) y se aplica con un cuentagotas directamente en el conducto auditivo externo. La administración es sencilla. (PROC. 5.7)

Procedimiento 5.7.
Administración de medicamentos por vía ótica

La administración vía ótica

Materiales

● Gel hidroalcohólico
● Guantes
● Medicamento

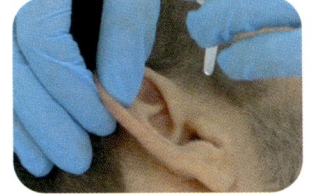

Pasos a seguir

Preparativos: higiene de manos, colocación de guantes y comunicación con la persona.

1. Calienta un poco el frasco con las manos.

2. Tira suavemente del pabellón auricular hacia arriba y hacia atrás, para que el conducto auditivo quede tensado.

3. Deposita las gotas indicadas en el conducto auditivo.

4. Masajea a nivel de la articulación temporomandibular. Deja a la persona recostada 5-10 minutos.

5. Registra la administración.

» Vía nasal

Por la nariz se administran principalmente gotas, aerosoles y pomadas de acción local. (PROC. 5.8)

Procedimiento 5.8.
Administración de medicamentos por vía nasal

La administración vía nasal

Materiales

- Gel hidroalcohólico
- Guantes
- Medicamento
- Pañuelo desechable

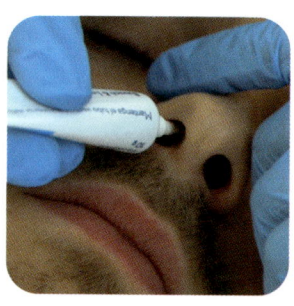

Pasos a seguir

Preparativos: higiene de manos, colocación de guantes y comunicación con la persona.

1. Pide a la persona que se suene. Introduce la boquilla del tubo de pomada (o el pulverizador o el cuentagotas) en una fosa nasal y administra el medicamento. Haz lo mismo con la otra fosa.

2. Según el tipo de medicamento:
   - Pomada: efectúa un masaje desde el exterior de la nariz, para extender bien la pomada.
   - Gotas: pide a la persona que mantenga la posición unos minutos, para que el medicamento se extienda bien.
   - Aerosol: pide a la persona que inspire a través de la fosa que se acaba de nebulizar.

3. Registra la administración.

Actividades

Diagrama de flujo

10. Responde las preguntas siguientes y justifica tu respuesta:

   a) ¿Las cápsulas se pueden abrir y diluir su contenido en agua o zumo para que sean más agradables o fáciles de tomar?

   b) ¿El jarabe es una forma farmacéutica adecuada para personas con diabetes?

   c) ¿Cómo se deben tomar los comprimidos que se toman por vía sublingual?

   d) ¿Qué diferencias hay entre los inhaladores presurizados y los inhaladores de polvo seco en cuanto al proceso de administración?

   e) ¿Qué forma farmacéutica tienen los medicamentos que se administran por vía transdérmica?

   f) ¿Por qué una persona a la que acabas de poner un supositorio ha de permanecer acostada en la posición de administración durante unos 10 o 15 minutos?

11. Realizad un *role playing* sobre cómo llevar a cabo la administración de un medicamento mediante inhalador presurizado a una persona encamada que puede colaborar muy poco.

12. Elaborad un **diagrama de flujo** que ilustre los pasos que sigue la aplicación de estos medicamentos:

   a) Administración de un supositorio con efecto sistémico.

   b) Administración de un óvulo vaginal.

13. Conseguid cinco prospectos de medicamentos de administración tópica. Indicad de cada uno:

- De qué tipo de administración tópica se trata.
- Cómo se administra.
- Qué precauciones (si las hay) se deben tomar para su administración.

5.4. Riesgos asociados a los medicamentos

La correcta administración y registro del tratamiento farmacológico son esenciales, ya que:

● **Un error en la administración** puede causar problemas de salud, como una *intoxicación accidental*, o hacer que el medicamento no proporcione la respuesta farmacológica esperada.

● **Un error o una omisión en el registro** harán que el personal sanitario que supervisa el tratamiento tome sus decisiones a partir de información incorrecta. También puede provocar que otra persona duplique una administración, al no saber que ya se ha realizado.

Y a pesar de que el medicamento se administre correctamente y en la dosis prescrita, también pueden producirse reacciones inesperadas, como las *reacciones adversas* o las *interacciones*.

Otro aspecto importante que se debe tener en cuenta son las *interacciones* que pueden tener algunos medicamentos con alimentos o con otros medicamentos.

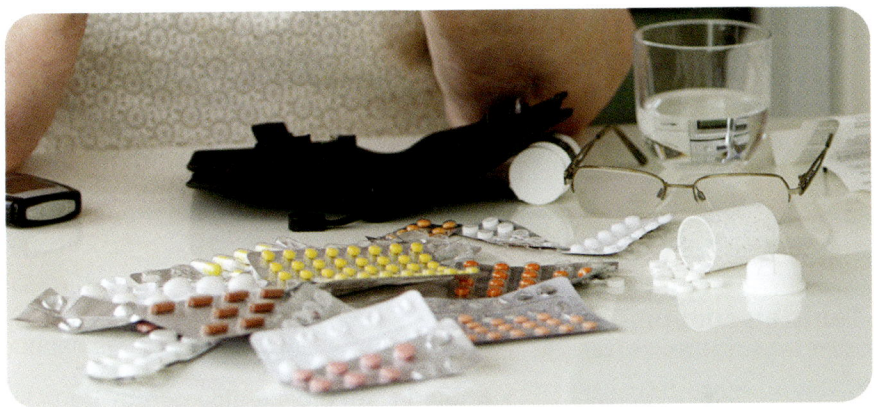

Fig. 5.7. Las personas que toman diversos medicamentos deben prestar especial atención para evitar errores en el tratamiento.

5.4.1. Las intoxicaciones accidentales

Una **intoxicación** es el efecto perjudicial que se produce cuando una sustancia tóxica se ingiere, se inhala o entra en contacto con la piel, los ojos o las membranas mucosas, como las de la boca o la nariz.

Las intoxicaciones accidentales con medicamentos más frecuentes se deben a confusiones entre medicamentos o a errores en la posología (tomar más cantidad que la prescrita, repetir una toma por error, etc.), aunque hay otras posibles causas, como una sensibilidad individual o una asociación inadecuada de medicamentos.

Los síntomas más característicos de las intoxicaciones causadas por medicamentos son disminución del nivel de consciencia, dificultad para despertar, palpitaciones, vómitos, dolor abdominal, fatiga, dolor de cabeza intenso, sensación de ahogo, etc.

¡Tenlo en cuenta!

Los fármacos implicados con mayor prevalencia en las intoxicaciones medicamentosas son los analgésicos (como el paracetamol), los antidepresivos, las benzodiazepinas (medicamentos que suelen usarse para tratar síntomas de ansiedad, insomnio y otros trastornos de tipo psicoemocional) y los antihistamínicos.

5.4.2. Las reacciones adversas a los medicamentos

> Una **reacción adversa a los medicamentos** (RAM) es cualquier respuesta indeseada del organismo a un medicamento que se ha administrado en la dosis habitual y para las indicaciones autorizadas.

Las reacciones adversas pueden clasificarse en distintas categorías, pero atendiendo a si son predecibles o no, se distingue entre:

- **RAM predecibles**. Son reacciones intrínsecas al mecanismo de acción del medicamento y por lo tanto son conocidas. Por eso, estas RAM aparecen descritas en el prospecto del medicamento. Algunos medicamentos provocan ciertas RAM de forma frecuente. En estos casos es conveniente advertir a la persona que va a tomar el medicamento.

- **RAM impredecibles**. Son reacciones inesperadas y ajenas a los efectos farmacológicos del medicamento, que remiten con la retirada de este. Suelen estar asociadas a factores propios de la persona que está siguiendo el tratamiento. Cuando se observa una RAM no descrita en el prospecto es necesario notificarlo al personal sanitario.

5.4.3. Las interacciones

> Las **interacciones** son cambios que se producen en los efectos de un medicamento debidos a la presencia de otros medicamentos, alimentos, bebidas o plantas medicinales.

Si se produce una interacción de un medicamento con cualquier otra sustancia, la respuesta farmacológica puede verse disminuida, aumentada o modificada. Las interacciones más habituales son del tipo:

- **Medicamento-medicamento**. Algunos medicamentos potencian o inhiben a otros. El personal médico lo tiene en cuenta al hacer las prescripciones.

- **Medicamento-alimento**. Existen cruces entre ciertos alimentos y medicamentos que suelen producir una alteración en el proceso de absorción del principio activo. La tabla siguiente muestra algunos ejemplos:

· · · · ·
¡Tenlo en cuenta!

En el prospecto de cada medicamento figuran las interacciones más habituales y las precauciones para evitarlas.

Medicamento	Alimento	Tipo de interacción	Recomendación
Antibióticos	Cualquiera.	Disminuyen su absorción.	Separar la ingesta del fármaco de la comida al menos dos horas.
Paracetamol	Alimentos ricos en pectina (manzanas, naranjas...) y carbohidratos.	Retrasan la absorción.	Tomar con el estómago vacío si se tolera.
Anticoagulantes orales	Alimentos ricos en vitamina K (brócoli, coles, espinacas, lechuga, tomates...).	Antagonizan su efecto.	No hacer ingestas súbitas de grandes cantidades de estos alimentos.
Inhibidores de la monoaminooxidasa (antidepresivos)	Alimentos ricos en tiramina (quesos fermentados, escabeches, conservas, vino tinto...).	Producen crisis hipertensivas.	Evitar estos alimentos durante el tratamiento.

Actividades

Mapa de burbuja
expandida
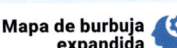

14. Cita y explica las diferentes reacciones indeseadas a los medicamentos. Puedes usar un **mapa de burbuja expandida**.

15. Busca en internet el prospecto de un medicamento y localiza en él:

- La información relativa a las interacciones.
- Los posibles efectos adversos.

Seguidamente responde:

a) ¿Qué información facilita sobre las interacciones con otros medicamentos?

b) ¿Cómo están clasificados los posibles efectos adversos?

RETO 5.1
Participamos en el desarrollo de una app para la asistencia en la administración de medicamentos
Tarea final: Generación de contenidos para nutrir la aplicación.

¿Qué sabes ahora de...?

Reflexiona y valora tus conocimientos respecto a cada una de las siguientes cuestiones:

- ¿Sabes qué es un medicamento?
- ¿Sabes para qué sirve una hoja de medicación?
- ¿Sabes cómo se administra un colirio?
- ¿Sabes qué es un reacción adversa a los medicamentos?

 Ni idea

 Me suena

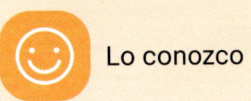 Lo conozco

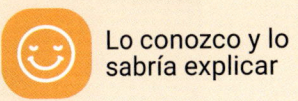 Lo conozco y lo sabría explicar

6 Intervenciones físicas

¿Qué sabes de...?

- ¿Sabes qué efectos tienen el calor y el frío sobre el organismo?
- ¿Sabes qué es el arco completo de movilidad de una articulación?
- ¿Conoces algún ejercicio para fortalecer la función respiratoria?
- ¿Sabes por qué las bolsas de calor o de frío llevan una funda?
- ¿Conoces alguna técnica hidroterapéutica?

 RETO 1
Los beneficios de las técnicas hidrotermales y la hidroterapia

6.1. Las intervenciones físicas

Las intervenciones de atención sanitaria en las que puede participar el personal técnico incluyen algunas basadas en métodos físicos. Al hablar de métodos físicos nos referimos a técnicas que no utilizan medicamentos y que buscan la mejora o el mantenimiento del estado de salud mediante *ejercicios*, *masajes*, o la aplicación de *calor*, *frío*, agua (*hidroterapia*), luz, electricidad, etc.

6.1.1. La fisioterapia

El hecho de que se trate de técnicas físicas, sin administración de medicamentos ni intervenciones invasivas, no implica que cualquier persona pueda llevarlas a cabo. La planificación y la ejecución de estas técnicas entran en el ámbito de la *fisioterapia*.

> La **fisioterapia** es la parte de la medicina que aplica tratamientos con medios y agentes físicos, dirigidos a la prevención, recuperación o rehabilitación de personas con disfunciones o discapacidades.

A pesar de que la responsabilidad es del personal fisioterapeuta, el personal técnico en atención a personas en situación de dependencia (APSD) puede:

- Realizar algunas intervenciones, como puede ser un masaje de relajación, por indicación del personal fisioterapeuta.

- Ayudar a la persona usuaria a llevar a cabo el procedimiento. En el caso de personas en situación de dependencia atendidas en su domicilio, el personal técnico en APSD puede recibir las instrucciones oportunas para ayudar a la persona o, si es el caso, realizar la intervención por ella.

- Colaborar con el personal que realiza la intervención, ayudando en la preparación de la persona usuaria, acompañándola y participando en la intervención según las instrucciones que reciba.

6.1.2. La rehabilitación

> La **rehabilitación** es un proceso en el cual se aplican distintas técnicas y tratamientos con el objetivo de recuperar la funcionalidad de una estructura alterada o evitar una pérdida de funcionalidad.

La rehabilitación puede aplicarse para recuperar la movilidad tras un accidente o intervención quirúrgica como, por ejemplo, tras una intervención de hombro. Pero también se aplica en diversas enfermedades para limitar las complicaciones y las secuelas como, por ejemplo, la rehabilitación para personas que han sufrido un ictus. La rehabilitación incluye técnicas de la fisioterapia, pero también técnicas que forman parte de otras disciplinas, como la logopedia o la terapia ocupacional. También puede incluir tratamiento farmacológico. El conjunto de técnicas y tratamientos indicados para cada situación y persona los establece personal sanitario de diversas disciplinas.

¡Tenlo en cuenta!

La terapia ocupacional tiene como objetivo entrenar o volver a entrenar movimientos y habilidades que no se han desarrollado o se han perdido a causa de una enfermedad o un trauma.

 Actividades

Mapa mental

1. Elabora un **mapa mental** que nuestre las actividades que puede llevar a cabo el personal técnico en APSD en el ámbito de la fisioterapia.

6.2. Los ejercicios

> Los **ejercicios** son movimientos, posturas y actividades físicas que tienen como objetivo corregir, mejorar o restablecer la movilidad o ciertas funciones fisiológicas.

Existen ejercicios para mejorar la movilidad, la función respiratoria o ciertos tipos de incontinencia, entre otros. El personal de enfermería o de fisioterapia establece qué ejercicios ayudarán a la persona y fija su frecuencia, el número de repeticiones y cualquier otra información relevante. Cuando se proponen diversos ejercicios se suele elaborar un programa de ejercicios.

Puesto que son intervenciones prescritas, su realización se debe registrar.

6.2.1. Ejercicios de movilidad

> El **arco completo de movilidad** (ACM) o amplitud de movimiento es el mayor ángulo que es capaz de hacer una articulación.

El arco de movilidad de una articulación se puede ver reducido por alteraciones en la articulación o en la musculatura.

Los ejercicios para incrementar el arco de movilidad de una articulación son muy frecuentes. Siempre los propone el personal sanitario, tras establecer clínicamente las causas de la pérdida de movilidad y habiendo estudiado las capacidades y limitaciones de la persona.

Fig. 6.1. Ejercicios para mejorar la movilidad.

❱❱ Ejercicios pasivos y ejercicios activos

Los ejercicios se pueden clasificar, en función del papel que desarrolla en ellos la persona, en *pasivos*, *activos* y *activos asistidos*.

- **Ejercicios pasivos o movilizaciones**. Son aquellos en que los movimientos los realiza el o la profesional. La persona usuaria tiene un papel pasivo y se limita a mantener la zona relajada.

  Los movimientos se realizan colocando una mano por encima y otra por debajo de la articulación, y moviéndola lentamente para evitar contracciones musculares y permitir que la persona pueda alertar si siente dolor.

- **Ejercicios activos**. Son aquellos que la persona realiza por sí misma. Los hay de distintos tipos:

  - **Isotónicos**. Incluyen movimientos de la articulación.

  - **Isométricos**. Se basan en la contracción de la musculatura, como apretar los abdominales o los glúteos.

  - **Isocinéticos**. Consisten en realizar movimientos de contracción muscular, pero tratando de vencer una resistencia externa. La resistencia pueden oponerla las manos del o de la profesional, unas pesas, unos muelles, etc.

- **Ejercicios activos asistidos**. Son ejercicios activos que la persona no puede completar por sus medios, pero sí si se le presta un cierto nivel de ayuda. La ayuda la pueden proporcionar:

  - El o la profesional.

Fig. 6.2. Ejercicios pasivo.

- La propia persona (ejercicios autoasistidos). Por ejemplo, ayudándose con un brazo para hacer un ejercicio con el otro.

- Distintos dispositivos, como poleas, planos deslizantes, inmersión en el agua, etc.

Tanto la realización de ejercicios pasivos como la ayuda en ejercicios activos asistidos son intervenciones en las cuales, en el ámbito domiciliario, suele participar el personal técnico en APSD, siempre que haya recibido indicaciones para hacerlo e instrucciones sobre cómo hacerlo.

En los ejercicios activos que la persona puede realizar por sí misma, la intervención del personal técnico en APSD se limita a recordar que hay que hacer los ejercicios, ayudar a preparar a la persona y su entorno, supervisar que la persona hace cada ejercicio siga las pautas que le ha dado el o la fisioterapeuta... E, independientemente del tipo de ejercicio, el personal técnico en APSD debe registrar que la persona ha hecho los ejercicios y anotar cualquier incidencia.

6.2.2. Ejercicios respiratorios

Para fortalecer y optimizar la función pulmonar y la musculatura involucrada en la respiración se pueden prescribir ejercicios respiratorios.

Hay varios ejercicios respiratorios y el personal sanitario establecerá cuáles debe hacer la persona y con qué frecuencia. La persona los aprenderá y los practicará primero en el centro sanitario, bajo supervisión, y después los continuará realizando en su domicilio. Los ejercicios para personas en situación de dependencia se incluyen en su plan de cuidados y, por tanto, es necesario registrar su realización.

➤➤ Ejercicios para fortalecer la función pulmonar

Hay diversos ejercicios para fortalecer la función pulmonar que resultan muy sencillos de realizar, como la respiración abdominal, la respiración sincrónica, soplar velas o la respiración costal. (PROC. 6.1 a 6.4)

Procedimiento 6.1.
Respiración abdominal

Respiración abdominal

Posición de inicio: decúbito supino, con las piernas estiradas.

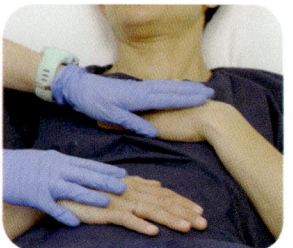

Pasos a seguir

1. Colocar una mano sobre el tórax y otra sobre el abdomen.

2. Inhalar profundamente por la nariz, dejando que el abdomen se hinche tanto como sea posible y manteniendo el tórax inmóvil. Se nota que la mano del abdomen se eleva, mientras que la del tórax permanece quieta.

3. Fruncir los labios y exhalar mientras el abdomen baja, ayudado por la presión de la mano que está sobre él.

Orientaciones:

- Practicar durante tres minutos, por la mañana y por la noche.
- Conforme se gane fuerza con el diafragma, realizar la espiración sin la ayuda de la mano.
- Progresivamente, practicar en otras posiciones: decúbito lateral, posición sentada, de pie y, finalmente, caminando.

Procedimiento 6.2.
Respiración sincrónica

Posición de inicio: de pie, con las manos entrelazadas frente al pecho.

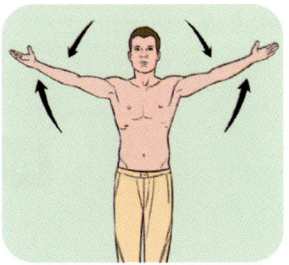

Pasos a seguir

1. Inhalar profundamente por la nariz mientras se elevan ambos brazos entrelazados por encima de la cabeza.
2. Con los brazos completamente levantados, contener la respiración durante 5 segundos.
3. Exhalar lentamente por la boca mientras se bajan los brazos a la posición inicial.

Orientaciones:

- Practicar en un ciclo de cinco minutos, al menos dos veces al día.
- Con el tiempo, se aumentará la duración de la retención del aire a 7 o 10 segundos. Más adelante, realizar en posición sentada.

Procedimiento 6.3.
Soplar velas

Posición de inicio: sentada frente a una mesa con una vela encendida. La llama debe estar a la altura de la boca y a unos 10 cm de distancia.

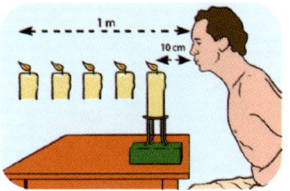

Pasos a seguir

1. Colocar una mano sobre el tórax y otra sobre el abdomen.
2. Inhalar profundamente por la nariz, dejando que el abdomen se hinche tanto como sea posible y manteniendo el tórax inmóvil.
3. Fruncir los labios y exhalar mientras el abdomen baja, soplando contra la llama para hacer que se mueva, pero sin apagarla.

Orientaciones:

- Repetir durante tres minutos, cada noche antes de irse a la cama.
- Con el tiempo, ir aumentando la distancia a la que está la vela en 8 o 10 cm, de forma que llegue a estar a 1 m de distancia.
- En un nivel más avanzado, realizar el ejercicio de pie.

Procedimiento 6.4.
Respiración costal

Posición de inicio: sentada con la espalda recta y apoyada en el respaldo, los pies apoyados en el suelo y las rodillas alineadas con las caderas.

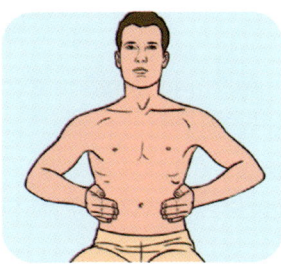

Pasos a seguir

1. Apoyar las manos en los costados, justo debajo de las costillas.
2. Inhalar profundamente por la nariz, expandiendo los costados y permitiendo que las manos sientan este movimiento.
3. Retener la respiración durante 5 segundos, al alcanzar una inhalación completa.
4. Exhalar lentamente por la boca con los labios fruncidos, asegurándose de expulsar todo el aire. Durante la exhalación, las manos deberían sentir cómo los costados se contraen.

Orientaciones:

- Repetir el ciclo 10 veces consecutivas, al menos dos veces al día.
- Con el tiempo, aumentar la duración de la retención del aire a 7 segundos y las repeticiones a 15 o 20 veces por sesión.

Además de estos ejercicios básicos, se pueden hacer otros usando un dispositivo diseñado para realizar ejercicios respiratorios: el *espirómetro de incentivo*.

> El **espirómetro de incentivo** es un instrumento diseñado para la realización de ejercicios respiratorios, con el propósito de medir y fortalecer la capacidad pulmonar.

El dispositivo está compuesto por una boquilla y una cámara con un pistón con un marcador (también los hay con tres esferas de diferentes pesos). Tanto el pistón como las bolas suben más o menos según la potencia de la respiración. (PROC. 6.5)

Procedimiento 6.5.
Espirometría de incentivo

Espirometría
de incentivo

Materiales

- Espirómetro
de incentivo

Posición de inicio:
Sentada, con el
espirómetro a la
altura de los ojos.

Pasos a seguir

1. Exhalar el aire completamente.
2. Colocar la boquilla del espirómetro en la boca, asegurando un buen sellado.
3. Inhalar lentamente por la boca, tratando de conseguir que el pistón (o las bolas) se eleven lo máximo posible.
4. Retener la respiración durante 5 segundos, mientras el pistón (o las bolas) descienden hasta el fondo.
5. Exhalar lenta y completamente por la boca.
6. Descansar unos segundos y repetir el ejercicio unas 10 veces

›› Ejercicios para eliminar secreciones

Las secreciones pulmonares son fluidos que se producen en los pulmones y las vías respiratorias y cuya acumulación tiene consecuencias negativas sobre la salud respiratoria.

El mecanismo fisiológico para expulsar las secreciones es la tos, sin embargo, esta puede ser ineficaz debido a distintos factores. En estos casos se puede recurrir a distintas opciones para eliminar las secreciones:

- Practicar el *ejercicio de respiración profunda*, cuyo objetivo es facilitar el desprendimiento de las secreciones de las vías respiratorias para que la tos pueda eliminarlas. (PROC. 6.6)

- Tras el uso del espirómetro de incentivo, animar a la persona a toser, pues esto la ayudará a aflojar y expulsar la mucosidad.

- Aplicar técnicas de drenaje postural, que consisten en colocar a la persona en una posición que favorezca el drenaje de las secreciones hacia las vías respiratorias.

- Realizar una aspiración, usando un aspirador de secreciones. (DOC. 6.1)

Procedimiento 6.6.
Respiración profunda

Respiración profunda

Materiales

- Una o más almohadas
- Pañuelos de papel o gasas
- Guantes
- Batea para los esputos

Pasos a seguir

Preparativos: higiene de manos, colocación de guantes y comunicación con la persona.

Procedimiento:

1. Ayúdala a sentarse ligeramente inclinada hacia delante. Puedes colocar cojines para que esté más cómoda y mantenga la posición.
2. Anímala a hacer varias respiraciones lentas y profundas, inspirando por la nariz tanto como pueda y espirando poco a poco por la boca.
   - Si no se fatiga, repetir cuatro veces la secuencia.
   - Si tiene ganas de toser, sostenerla mientras expectora en la batea.

 Documento 6.1.
La aspiración de secreciones

El aspirador de secreciones es una bomba que aspira fluidos mediante una sonda conectada a ella, y que los conduce hasta un reservorio desechable.

Para usar el aspirador de secreciones se le acopla una sonda y se coloca una boquilla de aspiración en el extremo libre de la sonda.

La boquilla se introduce, sin aspirar, por un lateral de la boca y se hace avanzar hasta la orofaringe. Una vez posicionada, se pone en marcha el aspirador y se comienza a aspirar, girando suavemente la boquilla en la cavidad bucal al tiempo que se va retirando de la boca.

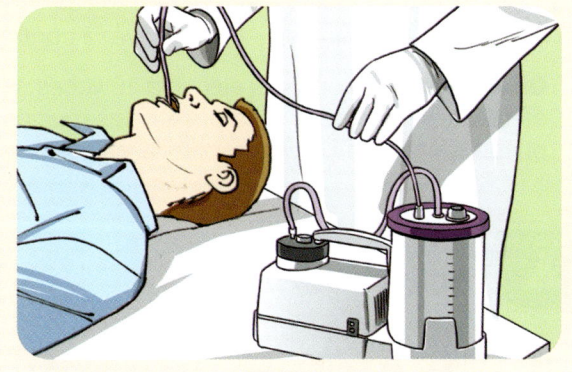

6.2.3. Ejercicios de reeducación o reentrenamiento vesical

El objetivo del entrenamiento vesical es aumentar la capacidad vesical y disminuir la frecuencia de las micciones, principalmente en personas con ciertos tipos de incontinencia urinaria.

Se aplican básicamente las técnicas de *micción anticipada* y la de *micción programada*.

- **Técnica de micción anticipada**. Se trata de anticiparse al deseo miccional, reduciendo así los episodios de incontinencia.

- **Técnica de micción programada**. La persona debe anotar la hora en que realiza las micciones durante tres días, así como los episodios de urgencia o incontinencia. Seguidamente, planifica las micciones reduciendo un poco el tiempo entre ellas; por ejemplo, si las anotaciones muestran que la persona orina cada 90 minutos, planifica sus micciones cada 80. A la hora planificada, debe intentar orinar, aunque no tenga ganas o haya sufrido un episodio de incontinencia justo antes.

Al completar tres días sin escapes de orina, la persona incrementa el tiempo entre micciones 15 a 30 minutos cada vez, y así sucesivamente hasta conseguir un tiempo entre micciones de 3 a 4 horas.

Es un proceso que mejora la capacidad vesical y disminuye la frecuencia miccional, pero requiere tiempo (puede durar entre 6 y 20 semanas) y una gran implicación de la persona.

En ambos casos, las técnicas se complementan con los *ejercicios de Kegel* (PROC. 6.7), que tienen como objetivo el fortalecimiento de los músculos del suelo pélvico. Estos músculos sostienen la vejiga, el recto y, en el caso de las mujeres, el útero. Su debilitamiento puede causar escapes de pequeñas cantidades de orina o heces, por lo que los ejercicios para fortalecerlos ayudan a mejorar ciertos tipos de incontinencia.

Procedimiento 6.7.
Ejercicios de Kegel

Posición de inicio: cualquiera. Al principio se recomienda el decúbito supino, con las piernas un poco dobladas.

Pasos a seguir

1. Identificar los músculos del suelo pélvico: hacer una contracción como si se quisiera interrumpir una micción. Los músculos que se contraen son los del suelo pélvico.

2. Contraer los músculos pélvicos y mantener la contracción durante 5 segundos. Relajar los músculos y descansar 5 segundos.

3. Volver a contraer y repetir el proceso anterior.

Orientaciones: Repetir el ejercicio 10 veces. Hacer las 10 repeticiones 2 o 3 por día. Se debe prestar atención en no apretar el estómago, los muslos ni otros músculos. Apretar los músculos equivocados puede ejercer más presión sobre la vejiga, lo que facilita el escape de orina.

 ## Actividades   **Mapa de árbol**

2. ¿Qué es el ACM de una articulación? Expón algunas limitaciones que tendrá en su vida diaria una persona mayor que tiene el arco de movilidad de sus hombros muy reducido.

3. Elabora un **mapa de árbol** que muestre las distintas variedades de ejercicios destinados a incrementar el arco de movilidad.

4. En parejas, practicad los ejercicios respiratorios indicados en la tabla. Una hará de persona enferma y la otra de profesional; intercambiad los roles. Después de la práctica, reflexionad y completad, en vuestro cuaderno, una tabla como la siguiente:

Ejercicio	Dificultades o errores en la ejecución	Indicaciones para evitar errores
Respiración abdominal	----------------	----------------
Respiración sincrónica	----------------	----------------
Respiración costal	----------------	----------------

5. En parejas, practicad la espirometría de incentivo con el espirómetro del taller de prácticas. Observad la ejecución y anotad los consejos que darías a una persona que debe aplicar esta técnica.

6. ¿Qué efectos puede tener un exceso de secreciones sobre la respiración de las personas?

7. A la persona a la que atiendes, la enfermera le ha propuesto aplicar la técnica de micción programada. Para ayudarla, decides elaborar una hoja de registro en la que ella misma pueda hacer el seguimiento de sus progresos. Elabora un modelo de hoja que le pueda resultar útil.

6.3. Los masajes

> El **masaje** es una técnica de estimulación cutánea que consiste en manipular la superficie externa del cuerpo ejerciendo diversos grados de presión manual.

Maniobras básicas de los masajes

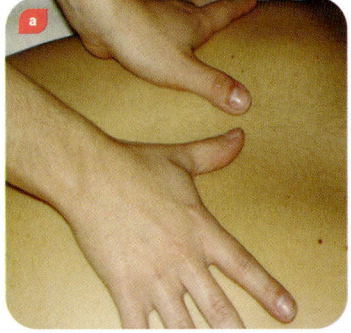

Existe un amplio repertorio de masajes, entre los que se encuentran los denominados masajes terapéuticos, que deben realizar fisioterapeutas. El personal técnico en APSD puede aplicar otros tipos de masajes, siempre que el personal sanitario responsable los considere oportunos.

6.3.1. Maniobras básicas en los masajes

Las maniobras básicas que se llevan a cabo para realizar masajes son las siguientes:

- **Deslizamientos**. Son rozamientos suaves sobre la superficie de la piel. Generalmente, los masajes se empiezan y terminan con esta técnica, como primera toma de contacto y para dejar una sensación de relajación al final.

  Los deslizamientos también pueden ser más profundos. En este caso se aplican con las yemas de los dedos y las palmas de las manos, ejerciendo mayor presión, con movimientos más lentos y siguiendo la dirección de las fibras musculares.

- **Amasamientos**. Se trata de dar grandes pellizcos en la piel, el tejido subcutáneo y el músculo. Pueden ser:

  - **Pellizcamientos**, dando grandes pellizcos con la mano sin estirar la piel.

  - **Torsiones**, moviendo las manos simultáneamente, pero en sentidos opuestos.

- **Percusiones**. Son golpecitos coordinados y a un ritmo rápido de las manos sobre el cuerpo. Pueden ser:

  - **Palmeteo abierto**, con las palmas de las manos.

  - **Palmeteo cerrado o *clapping***, con las manos ahuecadas.

  - **Golpeteo**, con los nudillos.

- **Vibraciones**. Consiste en aplicar una ligera presión con las manos y moverlas con velocidad, provocando una especie de temblor en la piel. Pueden utilizarse las palmas de las manos, las yemas de los dedos o el talón de las manos.

- **Fricciones**. Consiste en aplicar movimientos profundos de frotación rápida, pero sin desplazamiento de las manos o dedos, lo que hace que la piel se estire lo que su elasticidad permite.

- **Presiones**. Se usan para eliminar contracturas y nudos. No debemos aplicarlas en masajes superficiales, ya que pueden ser dolorosas y ocasionar algún problema.

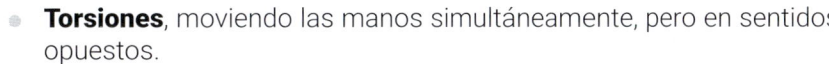
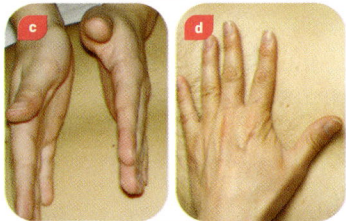
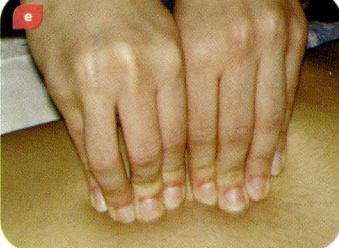
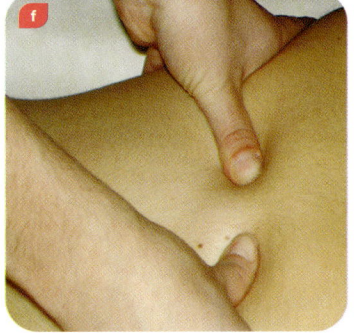

Fig. 6.3. Algunas maniobras que se llevan a cabo en un masaje: deslizamiento (a), amasamiento (b), percusión (c), vibración (d), fricción (e) y presión (f).

6.3.2. Aspectos generales de los masajes

Hay algunos aspectos que deberás tener presentes en referencia a los masajes, sean del tipo que sean:

- **Entorno**. La habitación debe tener una temperatura confortable, sin corrientes de aire, y debe proporcionar intimidad.

- **Persona usuaria**. Debes informarla y solicitar su consentimiento y colaboración. Se deberá colocar en una posición que le resulte cómoda, en función de su situación física y del tipo de masaje.

- **Tus manos**. Procura tener las uñas cortas y no llevar anillos, relojes, pulseras, etc. Siempre debes realizar una higiene de manos antes de comenzar. Si el personal sanitario lo ha indicado, utiliza guantes; en caso contrario, puedes trabajar con las manos desnudas. Antes de comenzar, frótalas entre sí para calentarlas un poco si las tienes frías.

- **El masaje**. Durante la realización del masaje debes:

  - Aplicar los masajes en las extremidades en dirección distal-proximal. De esta forma se favorece el retorno venoso y linfático.

  - No intervenir sobre contracturas que puedas detectar.

  - No masajear músculos lesionados, varices, úlceras, heridas, zonas inflamadas, etc. Es decir, aplica masajes solamente sobre piel íntegra y en zonas sin ningún proceso patológico.

  - No masajear zonas donde hay ganglios (especialmente axilas e ingles), ni en las zonas de pliegue de codos y rodillas, ni en las caras anterior e interior de los muslos.

6.3.3. Masajes que puede realizar el personal técnico en APSD

El personal técnico en APSD puede realizar algunos masajes, siempre que reciba indicaciones para hacerlos por parte del personal sanitario, que le proporcionará las instrucciones necesarias. En estos casos, estos masajes deben estar incluidos en el plan de cuidados y su realización se debe registrar.

Los principales masajes que puede realizar el personal técnico en APSD son: *masajes superficiales de relajación*, *masajes para favorecer la circulación venosa y linfática*, *masajes para favorecer la movilización de secreciones respiratorias* o *masajes para el estreñimiento*.

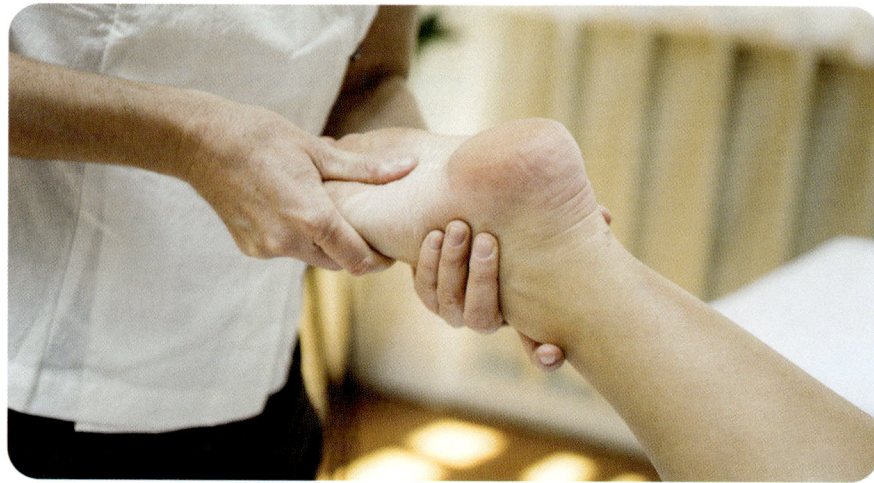

Fig. 6.4. El personal técnico en APSD solo debe realizar masajes indicados por el personal sanitario y siempre sobre piel íntegra y en zonas sin ningún proceso patológico.

>> Masajes superficiales de relajación

Este tipo de masaje se aplica para aliviar el cansancio y el dolor e incrementar el bienestar. Entre los masajes superficiales relajantes destacamos dos de los más habituales: el *de espalda* y el *de pies*.

- **Masaje de espalda**. Es útil para aliviar la tensión muscular, favorecer la relajación y aliviar el insomnio. El PROCEDIMIENTO 6.8 muestra una opción de masaje de espalda.

- **Masaje de pies**. Cumple funciones similares a las del masaje de espalda y precisa los mismos materiales. (PROC. 6.9)

Procedimiento 6.8.
Masaje de relajación en la espalda

Materiales

- Aceite o loción para masajes

Pasos a seguir

Preparativos:

- Informa a la persona y solicita su autorización. Si no desea recibir un masaje relajante, no tiene sentido hacerlo, ya que no va a cumplir su objetivo.
- Ayuda a la persona a descubrir su espalda y a tumbarse boca abajo, con la cabeza de lado y los brazos con los hombros y codos a unos 90º.
- Vierte un poco de aceite o loción en tus manos y frótalo un poco para calentarlo.

Procedimiento:

1. Realiza deslizamientos suaves comenzando en la zona lumbar y subiendo; describe círculos sobre los omóplatos. A continuación, vuelve a bajar hasta la zona lumbar.
2. Realiza una fricción suave a ambos lados de la columna, con los pulgares describiendo círculos. Comienza en el cuello y termina en la cintura.
3. Realiza un amasamiento suave sobre los omóplatos y los hombros, desde la zona medial hacia el exterior.
4. Realiza deslizamientos y amasamientos sobre los hombros y la parte alta de la espalda, que es la que soporta mayor presión.
5. Haz una presión suave a ambos lados de la columna, colocando una mano sobre otra y desplazándolas lentamente desde la zona caudal hacia la craneal.
6. Aplicando una presión suave, describe grandes movimientos circulares sobre la espalda con ambas manos. Mueve las manos de la cintura a las caderas y después hacia la columna y ve ascendiendo hasta llegar al cuello.
7. Para acabar, realiza los mismos deslizamientos suaves que has hecho al empezar el masaje.
8. Abriga a la persona y déjala descansar unos minutos. Mientras, lávate las manos y registra la intervención.

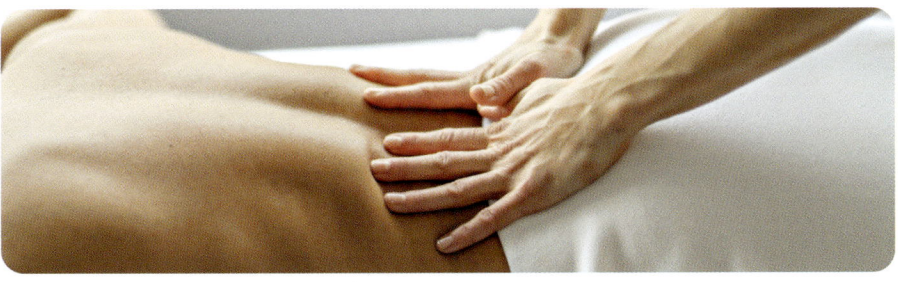

Procedimiento 6.9.
Masaje de relajación en los pies

Materiales	Pasos a seguir
• Aceite o loción para masajes	**Preparativos**:

Preparativos:

- Informa a la persona y solicita su autorización. Si no desea recibir un masaje relajante, no tiene sentido hacerlo, ya que no va a cumplir su objetivo. Con la persona tumbada o sentada, descubre sus pies.
- Vierte un poco de aceite o loción en tus manos y frótalo un poco para calentarlo.

Procedimiento:

1. Extiende el aceite o la loción con deslizamientos sobre el pie y la pantorrilla.
2. Sostén el pie por talón con una mano; con la otra, sujétalo lateralmente y con el dedo pulgar aplica presión sobre la planta del pie, entre las bases de los dedos primero y segundo.
3. Aplica rodamientos de pulgares desde el talón hacia los dedos.
4. Practica presión suave con los nudillos desde el talón hacia los dedos.
5. Aplica presión con los dedos sobre la base de los dedos del pie, masajeando ligeramente. Cógelos con toda tu mano y aprieta un poco; después trabájalos individualmente presionándolos entre tus dedos, desde la base hacia el extremo.
6. Finalmente, aplica amasamiento sobre el pie completo y sigue con el tendón de Aquiles, masajeándolo también en forma ascendente con tus dedos pulgar e índice.
7. Repite el procedimiento con el otro pie.
8. Deja descansar unos minutos a la persona. Mientras, lávate las manos y registra la intervención.

¡Tenlo en cuenta!

No confundas los masajes para favorecer la circulación con el drenaje linfático, que es un tipo de masaje terapéutico que aplican los y las fisioterapeutas para tratar edemas.

▶▶ Masajes para favorecer la circulación venosa y linfática

El retorno venoso desde las piernas es complicado, ya que el impulso del corazón tiene poco efecto y la circulación se hace en contra de la gravedad. Por ello es habitual que, especialmente en personas que hacen poco ejercicio, las piernas se noten pesadas e, incluso, que se hinchen los tobillos. El masaje para estimular la circulación se realiza con la persona en decúbito supino o en decúbito prono. En ambos casos, con las piernas elevadas unos 45º. Para mantener la posición se suelen colocar cojines bajo los tobillos y, si es necesario, bajo las rodillas.

Los movimientos en estos masajes se hacen siempre desde la zona distal hacia la proximal de la extremidad, de forma que ayudan a conducir la sangre hacia el tronco. Como no son masajes terapéuticos, deben ser necesariamente superficiales y nunca se deben manipular zonas lesionadas, como varices o úlceras por presión.

El masaje se realiza por zonas, desde el tobillo y subiendo por la pierna. Los movimientos más utilizados son:

- Deslizamiento en sentido ascendente, especialmente al principio y al final del masaje.
- Deslizamiento circular.
- Movimientos de arrastre. Se sujeta la pierna con ambas manos y se aplica una suave presión con los pulgares; seguidamente se efectúa un movimiento de arrastre hacia arriba, reduciendo poco a poco la presión.

>> Masajes para favorecer la movilización de secreciones respiratorias

 Clapping

La técnica de *clapping* se puede aplicar para movilizar secreciones respiratorias. El procedimiento consiste en golpear rítmicamente la espalda de la persona usuaria para facilitar el desprendimiento de las secreciones más profundas, de modo que puedan ser expectoradas.

Para ejecutar esta técnica debemos pedir a la persona usuaria que se coloque en la postura de drenaje postural que corresponda, según la zona que corresponda drenar.

¡Tenlo en cuenta!

El drenaje postural consiste en colocar a la persona en una posición en que pueda drenar las secreciones hacia las vías respiratorias superiores para que puedan salir con la tos. La posición depende del lóbulo o segmento pulmonar que se deba drenar. Para que el drenaje sea eficaz, los conductos que se van a drenar deben quedar perpendiculares al suelo y más altos que los bronquios principales.

A continuación, le practicamos golpes comenzando desde la zona del diafragma y avanzando hacia la de la clavícula, a un ritmo de tres a ocho por segundo, mientras la animamos a que tosa.

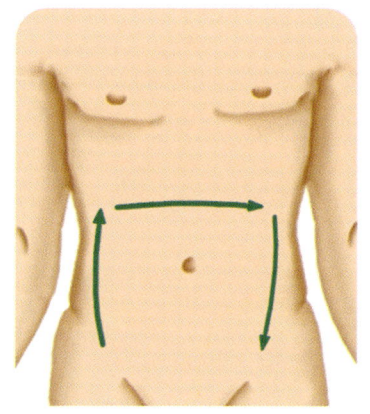

Los golpes deben ser secos y suaves, realizados con las manos ahuecadas y ambas muñecas relajadas. No debemos aplicarlos directamente sobre la piel, sino sobre una ropa fina, provocando un sonido hueco al hacer el impacto. En ningún caso debe resultar doloroso.

>> Masaje para el estreñimiento

Este tipo de masaje es beneficioso para aliviar el estreñimiento, favorecer el avance de las heces y aliviar el dolor abdominal. El masaje se suele realizar con aceite o loción y consiste en seguir el trayecto del colon con movimientos que ayuden al desplazamiento de su contenido hacia el recto.

El masaje se empieza en la ingle derecha, asciende por el lateral derecho del abdomen hasta llegar justo debajo de las costillas, luego sigue horizontalmente y, finalmente, desciende por el lateral izquierdo del abdomen hasta llegar a la ingle. Una vez completado, se vuelve al inicio y se repite. Generalmente, el masaje se aplica durante 15-20 minutos.

Fig. 6.5. El masaje para el estreñimiento se realiza siguiendo el recorrido del colon.

Actividades

Vídeo con *elevator pitch*   Infografía

8. En parejas, grabad un **vídeo con *elevator pitch*** para explicar en qué consisten y qué beneficios tienen las siguientes técnicas: deslizamiento, fricción, amasamiento superficial, vibración y percusión.

9. Elabora una **infografía** que muestre los aspectos básicos que debes tener en cuenta al realizar cualquier masaje.

10. Indica qué tipos de masaje puedes hacer y cuáles no en tu trabajo como técnico o técnica en APSD.

11. En parejas practicad el masaje de espalda usando un maniquí o hacedlo a una persona voluntaria, según os indique vuestro profesor o profesora.

12. En parejas practicad el masaje de pies usando un maniquí o hacedlo a una persona voluntaria, según os indique vuestro profesor o profesora.

13. Di qué es el *clapping* y en qué situaciones se aplica.

6.4. Aplicación de frío y calor

Tanto el calor como el frío son agentes físicos que tienen aplicaciones terapéuticas. Igual que ocurre con los ejercicios o los masajes, algunas técnicas las debe aplicar personal especializado, mientras que otras se pueden aplicar sin problemas si no hay contraindicaciones.

Como en cualquier intervención, debemos realizar una higiene de manos y ponernos guantes, prepararlo todo antes de empezar y explicar a la persona qué vamos a hacer y cómo puede colaborar.

Además, tendremos en cuenta una serie de pautas generales:

● Aplicamos la intervención indicada, respetando los tiempos y temperaturas incluidos en el plan de cuidados, y adoptando cualquier precaución que se detalle para la intervención.

● Observamos la piel de la zona que vamos a tratar para verificar que no haya heridas, hematomas, edemas, etc. Si detectamos algún tipo de lesión no debemos realizar la intervención.

● Es necesario aplicar una temperatura adecuada y confirmar que es la correcta antes de empezar. Tendremos en cuenta además que no todas las personas toleran igual el frío y el calor.

● Mientras el dispositivo de calor o de frío está situado sobre la piel de la persona, realizaremos un seguimiento para ver si hay alteraciones en la piel o si la persona siente alguna molestia.

6.4.1. Aplicación de frío

Tarea 2
Profundizar sobre la aplicación terapéutica del frío

La utilidad terapéutica del frío está relacionada con los efectos que produce su aplicación en el organismo. Entre ellos los más importantes son:

● Es **vasoconstrictor**, por lo que es útil para detener pequeñas hemorragias o inflamaciones.

● Tiene efectos **antiinflamatorio y analgésico**, por lo que es útil para disminuir la inflamación y para aliviar el dolor.

● Provoca la **disminución de la temperatura corporal**, por lo que puede ser útil en casos de fiebre.

Para su aplicación en tratamientos locales diferenciamos entre aplicación de *frío húmedo* o *frío seco*.

›› Aplicación de frío húmedo

El frío húmedo penetra mejor en el cuerpo y actúa más rápidamente que el frío seco. Para aplicarlo se pueden usar *compresas frías* o hacer *inmersiones o remojos fríos*.

Aplicación de compresas frías

● **Compresas frías**. Aplicamos compresas o toallas dobladas humedecidas en un recipiente con hielo y agua fría, bien escurridas, sobre la zona que se debe tratar.

 La aplicación suele mantenerse unos 15-20 minutos, yendo cada pocos minutos a ver cómo está la piel y a comprobar si la persona se siente bien. Cada vez que sea necesario, humedecemos la compresa para que se mantenga fría.

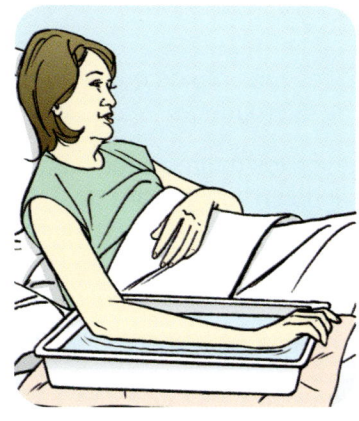

Fig. 6.6. Inmersión o remojo frío.

Aplicación
de *cold-packs*

- **Inmersiones o remojos fríos**. El tratamiento consiste en sumergir la parte del cuerpo que se va a tratar en un recipiente con agua fría. Antes de empezar debemos comprobar la temperatura del agua usando un termómetro de baño.

  La temperatura del agua y la duración de la inmersión dependerán de la prescripción médica.

>> Aplicación de frío seco

El frío se aplica mediante una superficie seca, que puede ser una bolsa de hielo u otros dispositivos creados específicamente para esta función. Los más comunes son:

- **Bolsas de hielo**. Son bolsas parecidas a las de agua caliente, que se llenan con trocitos de hielo. Para evitar un frío excesivo sobre la piel, se les pone una funda o se envuelven.

- ***Cold-packs***. Son bolsas rellenas de una sustancia gelatinosa que conserva muy bien el frío. Las hay de distintos tamaños y formas, para que se ajusten a distintas zonas del cuerpo.

  Las *cold-pack* se guardan en el congelador hasta el momento de usarlas, y antes de colocarlas se les pone una funda o se envuelven.

Una vez colocado el dispositivo de frío seco, debemos visitar a la persona aproximadamente cada 5 minutos para preguntarle si nota dolor, molestias, entumecimiento o sensación de quemadura. Además, observamos si se aprecian alteraciones en la piel. En cualquiera de estas situaciones, retiramos el dispositivo y registramos la incidencia.

La duración de los tratamientos debe ser la prescrita. Suele estar sobre los 15 minutos por sesión.

Tarea 3
Descubrir las
terapias con calor

Fig. 6.7. La bolsa de agua caliente es un sistema clásico de aplicación de calor seco.

6.4.2. Aplicación de calor

El calor también provoca efectos terapéuticos en el organismo. Algunos de los más importantes relacionados con su aplicación en tratamientos locales son los siguientes:

- Tiene acción **analgésica** y **antiinflamatoria**, por lo que es útil en inflamaciones articulares agudas y crónicas como artrosis, contracturas musculares, etc.

- Tiene un **efecto antiespasmódico** y **descontracturante**, es decir, produce relajación muscular, por lo que se aplica en las contracturas musculares y como paso previo en la rehabilitación.

- Provoca **hiperemia**, es decir, aumento del volumen de sangre en la zona de aplicación por vasodilatación, apareciendo enrojecimiento de la piel. Este efecto es interesante para acelerar el curso de los procesos infecciosos y supurativos (que expulsan pus) y para ablandar exudados endurecidos (costras) en la superficie del cuerpo.

Los tratamientos locales de calor pueden aplicarse mediante *calor húmedo* o *calor seco*.

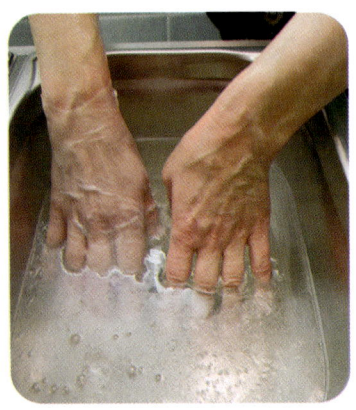

Fig. 6.8. Inmersión en una solución caliente.

 Aplicación de calor por manta de calentamiento por aire forzado

»› Aplicación de calor húmedo

El calor húmedo es más intenso, penetra más y es más rápido que el calor seco, pero también presenta un mayor riesgo de quemaduras.

Los procedimientos para aplicar calor húmedo son los mismos que para el frío húmedo: **compresas** o **inmersión**, pero usando un líquido caliente.

»› Aplicación de calor seco

Los principales procedimientos de aplicación de calor seco son equivalentes a los de aplicación de frío seco: las bolsas de agua caliente y los *hot-packs*. Además, se pueden usar dispositivos como lámparas de calor, mantas o esterillas eléctricas, entre otros. Las precauciones básicas son:

● La temperatura y el tiempo de la intervención deben ser los prescritos. De todas formas, si la persona nota molestias o se observan alteraciones en la piel, se debe interrumpir el tratamiento.

● Controlar la temperatura del dispositivo de calor seco antes de colocarlo sobre la piel de la persona. De todas formas, hay que recordar que los límites de tolerancia al calor y al frío dependen de cada persona, así que tras colocarlo debemos preguntarle cómo lo nota.

● Poner el dispositivo de calor dentro de una funda o envolverlo, para que no contacte directamente con la piel.

● Realizar un seguimiento mientras el dispositivo de calor seco está colocado para comprobar que la piel no está sufriendo lesiones y que la persona se encuentra bien.

¡Tenlo en cuenta!

La lámpara de calor es una lámpara de infrarrojos diseñada para aplicar calor sobre el cuerpo. Se debe situar a unos 45 cm de la zona que se quiere tratar y dejar que actúe sobre ella.

Actividades

Mapa de árbol

14. Elabora un **mapa de árbol** con las distintas técnicas de aplicación de frío y de calor.

15. Indica en qué situaciones se recomienda la aplicación de frío y en cuáles la de calor. Pon un ejemplo para cada situación.

16. ¿Qué diferencias hay entre la aplicación del frío o calor húmedos y secos?

17. En parejas, practicad los procedimientos siguientes. Recordad alternaros los papeles. En todos los casos tenéis que preparar el material, explicar a la persona qué vais a hacer y solicitar su colaboración.

  a) Aplicación de una bolsa de hielo en el cuello.

  b) Aplicación de compresas húmedas frías en la frente de una persona encamada.

  c) Aplicación de compresas húmedas calientes en el tobillo de una persona encamada.

  d) Aplicación de un baño caliente en el pie y en el tobillo.

18. En cada uno de los siguientes casos, indica las principales precauciones que deberás adoptar:

  a) Aplicación de frío húmedo.

  b) Aplicación de frío seco.

  c) Aplicación de calor húmedo.

  d) Aplicación de calor seco con bolsa.

6.5. La hidroterapia

> La **hidroterapia** consiste en el uso del agua como agente terapéutico.

Fig. 6.9. Existen muchas técnicas de hidroterapia, con funciones diversas.

El agua tiene varias aplicaciones terapéuticas: atenúa el dolor, mejora la movilidad y facilita la relajación, entre otros muchos efectos; también está indicada para tratar los procesos reumáticos.

Los efectos del agua sobre el organismo se deben a la combinación de dos factores:

- **Térmico**. Dependiendo de la temperatura del agua, esta tendrá unos efectos u otros sobre el organismo. Los principios son los mismos que hemos explicado en las técnicas de aplicación de frío y calor.

- **Mecánico**. La flotación hace que los movimientos en el agua sean más sencillos de realizar y menos dolorosos.

6.5.1. Principales aplicaciones de la hidroterapia

Al ser un tratamiento no invasivo, es adecuado para personas de todas las edades y condiciones físicas, ofreciendo un amplio espectro de beneficios terapéuticos:

- **Alivio del dolor y la inflamación**. El agua caliente ayuda a relajar los músculos y las articulaciones, proporcionando alivio en condiciones como la artritis, el reumatismo y las lesiones musculares. Además, la presión del agua puede reducir la inflamación y mejorar la circulación sanguínea.

- **Rehabilitación**. Es especialmente beneficiosa en la rehabilitación de lesiones y cirugías, ya que el agua proporciona un medio de bajo impacto que facilita la realización de ejercicios, mejorando la movilidad y la fuerza muscular.

- **Reducción del estrés**. Ofrece un efecto relajante que puede disminuir los niveles de estrés y ansiedad. La inmersión en agua caliente estimula la liberación de endorfinas, mejorando el estado de ánimo y promoviendo la relajación.

- **Mejora de la circulación sanguínea**. El agua caliente y los chorros a presión pueden estimular la circulación sanguínea, beneficiando al sistema cardiovascular y ayudando en la recuperación de lesiones.

- **Estimulación del sistema inmunitario**. La alternancia entre agua caliente y fría puede fortalecer el sistema inmunitario, aumentando la producción de células defensoras y mejorando la resistencia general del cuerpo.

Tarea 1
Realizar una entrevista sobre las técnicas hidrotermales

¡Tenlo en cuenta!

Las técnicas de hidroterapia también tienen contraindicaciones, como embarazos con complicaciones, accidentes cerebrovasculares, procesos infecciosos agudos y graves, hipertensión arterial grave, insuficiencias cardiacas o insuficiencias renales graves.

Tarea 4
Explorar la hidroterapia

6.5.2. Técnicas hidroterapéuticas

Existen varios tipos de técnicas hidroterapéuticas. Las más importantes son las siguientes: *aplicación tópica en baños*, *cura hidroterápica a presión*, *baños de vapor y saunas*, y *peloides y parapeloides*.

» Aplicación tópica en baños

Se puede realizar en bañeras, tanques de tratamiento o piscinas terapéuticas. Estos baños pueden incorporar burbujas, circulación de agua, etc., y ser *generales* o *locales*:

- **Generales**. Consisten en sumergir todo el cuerpo dentro del agua a excepción de la cabeza. El agua puede estar a diferentes temperaturas dependiendo del efecto deseado:

  - A 38 °C durante 15-20 minutos para conseguir efectos relajantes y analgésicos.

  - Entre 35 y 36 °C durante largo tiempo para bajar la temperatura corporal; también tiene efectos relajantes.

- **Locales**. Consiste en sumergir en agua caliente o fría diferentes partes del cuerpo. Se usan generalmente para manos y pies.

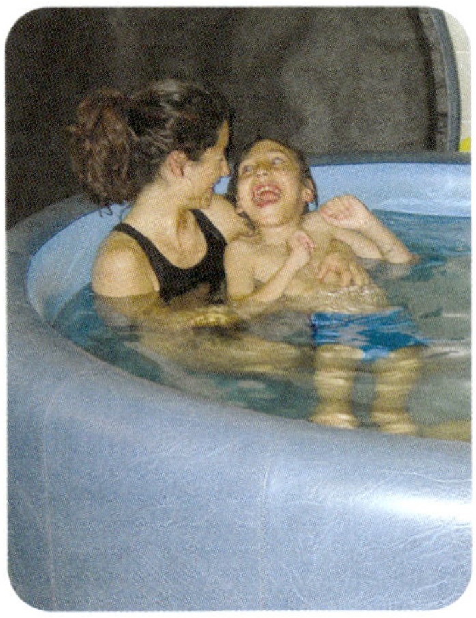

Fig. 6.10. Hidroterapia en un tanque de tratamiento.

» Cura hidroterápica a presión

Consiste en la aplicación de agua a presión sobre la piel. Está indicada en alteraciones circulatorias, contracturas y tensión muscular, así como para mejorar el estado general del organismo. Se aplica mediante un sistema de ducha o de chorro.

» Baños de vapor y saunas

Están indicados como relajantes corporales, como tonificantes, en procesos reumáticos crónicos, en procesos alérgicos, etc.

- **Baños de vapor**. El calor se aplica mediante vapor a 25-45 °C y con un 80-90% de humedad. Pueden ser generales, en todo el cuerpo, o locales en alguna parte del cuerpo, en este caso se requieren dispositivos especiales.

- **Sauna o baño finlandés**. Son baños calientes y secos a 90-100 °C y humedad del 20%. En general, se recomienda la permanencia durante unos 15-20 minutos, seguidos de baño frío o ducha fría de corta duración.

- **Baño turco o *hammam***. Juntamente con los baños secos de agua caliente o el baño ruso, son otras técnicas de aplicación de calor húmedo y seco que pueden encontrarse en los centros de hidroterapia.

¡Tenlo en cuenta!

Otro tipo de compuestos que se utilizan de igual forma son los parapeloides, que son una mezcla de peloides y parafina.

» Peloides y parapeloides

Son técnicas termoterápicas en las que se utilizan compuestos formados por una parte sólida (fangos o lodos, limos, turbas, etc.) y una parte líquida (agua mineromedicinal o agua salada), que se aplican sobre el cuerpo a una temperatura de 45-50 °C.

Estos compuestos se denominan peloides. Algunas modalidades que aplican este tipo de productos son la *talasoterapia* o la *fangoterapia*.

Actividades

Infografía  Mapa de burbuja simple

19. Describe los efectos terapéuticos del agua e indica algunas enfermedades o problemas de salud para los que está indicada la hidroterapia.

20. Diseña una **infografía** explicando en qué consiste la hidroterapia y qué beneficios tiene.

21. Elabora un **mapa de burbuja simple** en el que queden recogidas las distintas técnicas de hidroterapia.

22. Haz una investigación para ampliar información sobre peloides y parapeloides. Puedes poner en práctica los pasos siguientes:

- Investigación inicial: busca información básica sobre qué son los peloides y parapeloides.
- Composición: identifica los componentes principales de cada uno, incluyendo minerales y materia orgánica para los peloides, y los materiales utilizados para crear parapeloides.
- Aplicación terapéutica: selecciona un ejemplo de aplicación terapéutica para cada tipo, explicando brevemente cómo se utiliza en tratamientos de hidroterapia.

23. Localiza en internet algún centro de hidroterapia y elabora un informe que recoja las técnicas que ofertan y una breve descripción de cada una de ellas.

 RETO 6.1
Los beneficios de las técnicas hidrotermales y la hidroterapia

Tarea final: Crear un *podcast* divulgativo sobre técnicas hidrotermales e hidroterapia.

¿Qué sabes ahora de...?

Reflexiona y valora tus conocimientos respecto a cada una de las siguientes cuestiones:

- ¿Sabes qué efectos tienen el calor y el frío sobre el organismo?
- ¿Sabes qué es el arco completo de movilidad de una articulación?
- ¿Conoces algún ejercicio para fortalecer la función respiratoria?
- ¿Sabes por qué las bolsas de calor o de frío llevan una funda?
- ¿Conoces alguna técnica hidroterapéutica?

 Ni idea    Me suena   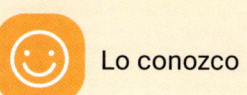 Lo conozco   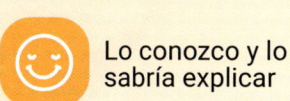 Lo conozco y lo sabría explicar

Unidad de trabajo

7 Alimentación y apoyo a la ingesta

¿Qué sabes de...?

- ¿Sabes qué acciones hay que llevar a cabo antes de repartir las bandejas de comida por las habitaciones?
- ¿Sabes en qué posición se debe colocar a una persona para apoyarla en la ingesta?
- ¿Sabes qué cuidados precisa la sonda nasoenteral?
- ¿Sabes en qué consiste la alimentación por vía parenteral?

★ RETO 1
Participar del programa de mentorías en apoyos a la alimentación

★ RETO 2
La prestación de apoyos a la alimentación y cuidados asociados. El caso de Rosario

1. **La alimentación de personas en situación de dependencia**

2. **La planificación de los menús**

Alimentación y apoyo a la ingesta

3. **El servicio de comidas**

6. **La eliminación intestinal**

5. **Nutrición parenteral**

4. **Nutrición enteral**

7.1. La alimentación de personas en situación de dependencia

Las personas obtenemos los nutrientes y la energía que nuestro organismo necesita de los alimentos que ingerimos.

7.1.1. Las necesidades de cada persona

Tarea 1
Asistir a la jornada inaugural del programa de mentorías

Las necesidades nutricionales varían de unas personas a otras, principalmente en función de su sexo y su grado de actividad física.

» Necesidades básicas

Las necesidades nutricionales incluyen:

Los nutrientes

- Un aporte adecuado de cada uno de los tipos de **nutrientes**, que son compuestos químicos que aportan a las células todo lo que necesitan para su funcionamiento. Aplicando criterios químicos, los nutrientes se clasifican en carbohidratos, lípidos, proteínas, vitaminas y minerales.

Cálculo de las necesidades energéticas

- Un **aporte energético** correcto. Los carbohidratos, los lípidos y las proteínas aportan energía al organismo, que sus células utilizan en sus reacciones químicas. Si el aporte es insuficiente, las células no podrán funcionar normalmente, y si es excesivo el peso aumentará.

¡Tenlo en cuenta!

Podemos definir la nutrición como el conjunto de procesos involuntarios mediante los cuales nuestro organismo obtiene, transforma y utiliza los nutrientes contenidos en los alimentos.

Tarea 2
Analizar los casos con los que se trabajará

Tarea 1
Analizar la enfermedad de Rosario

» Valoración en situaciones de dependencia

En el caso de personas en situación de dependencia, hay además otros factores que se deben tener en cuenta al establecer sus necesidades nutricionales y de alimentación. Los más destacados son:

- La **capacidad funcional**, que determina si una persona puede comer sola, si precisa cierta ayuda o si es totalmente dependiente.

- La existencia de **trastornos de la función digestiva**, que pueden hacer necesario administrar alimentos blandos, restringir ciertos alimentos o, incluso, recurrir a la administración de alimentos por vía enteral o parenteral.

- Las **necesidades clínicas**. Algunas situaciones clínicas requieren que la persona siga una dieta apropiada como parte del tratamiento o control de la enfermedad. Es el caso de enfermedades muy comunes, como la diabetes o la hipertensión; también ocurre con la celiaquía y con las alergias e intolerancias a alimentos.

- Los **tratamientos** que está recibiendo la persona. Por ejemplo, ciertos medicamentos, la quimioterapia o la diálisis pueden tener efectos sobre la actividad alimentaria.

Teniendo en cuenta todos los factores anteriores, el personal sanitario elabora un plan de cuidados adecuado para las necesidades de alimentación de cada persona.

❯❯ Alteraciones digestivas derivadas de situaciones de dependencia

Es importante tener en cuenta que la situación de dependencia puede causar alteraciones del proceso digestivo. Las más comunes son:

- **Trastornos de la masticación y/o de la deglución**. Algunas enfermedades que producen alteraciones motoras pueden hacer que la masticación o la deglución no se puedan realizar normalmente. Estos trastornos pueden derivar en una malnutrición si la persona desiste de comer a causa de las dificultades que tiene.

- **Inapetencia**. Es frecuente que el estado de ánimo, la menor percepción de los sabores y el olor, el esfuerzo necesario para masticar y deglutir u otras causas hagan que la persona en situación de dependencia muestre inapetencia.

- **Estreñimiento**. La falta de actividad física provoca una ralentización del ritmo intestinal y una mayor tendencia al estreñimiento, por lo que es necesario que la persona incremente su consumo de fibra en la dieta.

- **Obesidad**. Otra posible consecuencia de la falta de actividad física es la obesidad, que además es una condición que favorece aún más el estreñimiento.

Cabe destacar además las alteraciones debidas a la vejez. Algunas de las que afectan al proceso digestivo con mayor frecuencia son la pérdida de piezas dentales, la atrofia gástrica y la debilitación de la pared del tubo digestivo.

![PDF] Diagnósticos de enfermería relacionados con la función digestiva

Fig. 7.1. La inapetencia, debida a causas muy diversas, es un trastorno común.

❯❯ Asesoramiento a la persona y a su familia

Es importante que la persona en situación de dependencia y su familia conozcan las necesidades y limitaciones en materia de alimentación, y que reciban la información y la formación necesarias para poder asegurar que la persona se alimentará adecuadamente.

Esta información incluye el tipo de dieta que debe seguir y también, si es necesario, las estrategias o técnicas que se pueden aplicar para mejorar la ingesta. También se las debe informar de los posibles riesgos y de cómo deberán actuar para prevenirlos.

🧪 Actividades

Mapa mental

1. Elabora un **mapa mental** que muestre los distintos aspectos que se deben valorar para establecer las necesidades nutricionales y de alimentación de una persona en situación de dependencia.

2. En parejas, pensad qué información en materia de alimentación se debe proporcionar a una persona en situación de dependencia y a su familia, y valorad qué problemas podrían surgir si no disponen de esa información.

7.2. La planificación de los menús

Una vez establecidas las necesidades nutricionales y de alimentación de una persona, es necesario concretar cómo se van a atender en las comidas diarias.

7.2.1. Las dietas y los menús

El plan de cuidados de cada persona incluye qué tipo de *dieta* debe seguir. Teniendo en cuenta el tipo de dieta, se elaboran los *menús*.

» La dieta

> El conjunto de sustancias que regularmente ingiere una persona como alimento constituye su **dieta**.

La dieta debe proporcionar a la persona, mediante alimentos variados y en cantidad suficiente, la energía y los nutrientes que necesita teniendo en cuenta su edad, su sexo, su actividad física, su estado de salud, etc.

¡Tenlo en cuenta!

Decimos que una dieta es **equilibrada** cuando se ajusta en calidad y cantidad a las necesidades nutricionales de la persona. Si además está elaborada para mejorar o mantener la salud de la persona, decimos que es una dieta **saludable**.

› Las dietas terapéuticas

Muchas personas en situación de dependencia necesitan seguir una *dieta terapéutica*.

> La **dieta terapéutica** es una dieta modificada para aliviar o tratar algún proceso patológico.

Las dietas terapéuticas tienen distintas finalidades, que podemos agrupar en dos grandes categorías:

- **Prevenir la aparición de determinados síntomas de una enfermedad**. Mediante la dieta no se sanará la enfermedad, pero se evitarán o se aliviarán algunos de sus signos o síntomas. El tratamiento se suele complementar con medicación u otras terapias.

  Por ejemplo, una persona con hipertensión generalmente debe tomar medicamentos y, además, seguir una dieta adecuada.

- **Constituir el tratamiento de una enfermedad que se puede controlar exclusivamente con la dieta**. No se prescribe tratamiento farmacológico y, si la persona sigue las pautas dietéticas que se le indiquen, podrá hacer vida normal sin mayor problema.

  Por ejemplo, una persona con intolerancia a la lactosa tiene como único tratamiento prescindir en su dieta de los alimentos que contengan lactosa.

Existen muchos tipos de dietas terapéuticas. Podemos agruparlas en *dietas que modifican nutrientes o energía* y *dietas que modifican la textura y/o la digestibilidad*:

- **Dietas que modifican nutrientes o energía**. Pueden ser:

  - **Dietas cualitativas**. Requieren la supresión o restricción de algún alimento o nutriente. Por ejemplo, las dietas bajas en sal para personas con hipertensión o las dietas bajas en lípidos para personas que tienen enfermedades biliares.

  - **Dietas cuantitativas**. La modificación en este caso es en relación con el aporte energético de la dieta. Se puede recomendar tomar más energía de la que correspondería (dieta hipercalórica) o menos (dieta hipocalórica).

- **Dietas que modifican la textura y/o la digestibilidad**. Pueden ser:

  - **Dieta líquida**. Está compuesta por alimentos en forma líquida que pueden ser bebidos o ingeridos con una caña. Incluye básicamente agua, caldos, zumos de fruta, infusiones, leche y preparados comerciales líquidos.

  - **Dieta semilíquida**. Incluye alimentos líquidos y alimentos de textura fluida, como purés de verduras, carne picada, flanes o huevos.

  - **Dieta blanda**. Incluye alimentos de textura blanda, fáciles de digerir y cocinados en preparaciones sencillas. Además de los alimentos admitidos en las dietas líquida, se incorporan sólidos blandos, como jamón cocido, pescado hervido, carne picada, tortilla a la francesa, compota de manzana, etc.

  - **Dieta de fácil digestión o ligera**. Es prácticamente una dieta normal, pero prioriza las texturas más bien blandas, no incorpora especias ni sabores fuertes, y evita las grasas y los alimentos de más difícil digestión.

Fig. 7.2. Las dietas que modifican la textura, la digestibilidad o ambas son muy comunes.

›› Los menús

El **menú** es la planificación de lo que comerá una persona, o un grupo de personas, en un periodo determinado.

Los menús concretan los platos que compondrán cada comida, especificando los ingredientes y también la elaboración, durante un periodo de tiempo establecido, que suele ser de una semana o de un mes.

Para planificar los menús de una persona se tiene en cuenta el tipo de dieta asignado en su plan de cuidados y, en la medida de lo posible, sus preferencias personales: los alimentos o condimentos que le gustan o no a la persona usuaria, las preparaciones preferidas, los horarios habituales, etc.

7.2.2. La planificación en los centros residenciales

Elaborar menús para atender a las necesidades y preferencias de muchas personas distintas, como ocurre en los centros residenciales, exige un alto nivel de planificación y se debe hacer con suma atención.

Cada vez más, los centros residenciales se esfuerzan por adaptarse lo mejor posible a las preferencias y necesidades de las personas usuarias, aproximándose al ideal de la dieta individualizada.

>> El manual de dietas

La planificación en los centros residenciales se realiza de forma interdisciplinaria y se formaliza en un *manual de dietas*.

> El **manual de dietas** es un documento que recoge todas las dietas y platos disponibles en el centro.

La información que proporciona este manual es muy completa e incluye:

- **Hojas de dietas**. Se elabora una ficha para cada uno de los tipos de dietas que ofrece el centro. En ella se concretan la denominación, los objetivos, las características y las indicaciones. A cada persona residente se le asigna uno de los tipos de dieta.

- **Recetario**. Incluye una ficha para cada uno de los platos que ofrece el centro. Cada ficha incluye el nombre el plato, el contenido de una ración, los ingredientes del plato y la cantidad de cada uno, y la forma de preparación, además de un análisis nutricional que relaciona los nutrientes y las calorías que aporta.

A partir del recetario del centro y siguiendo las pautas de las distintas dietas se elaboran los menús para cada uno de los tipos de dieta.

>> La adaptación de las dietas

En los centros se elaboran platos para todos los tipos de dieta, en cada una de las comidas. Si a ello sumamos la posibilidad de personalizar los menús, el resultado es una gran variedad de platos y preparaciones. Para simplificarlo se recurre al procedimiento siguiente:

1. Se elabora una **dieta basal**. Es una dieta equilibrada, que contiene todos los nutrientes que necesita una persona sana.

2. Se planifican las modificaciones necesarias para adaptar la dieta basal y elaborar a partir de ella las **dietas terapéuticas** previstas.

3. Se introducen las adaptaciones relativas a **necesidades específicas**. Algunas de estas modificaciones son la variación de la cantidad de uno o varios de los ingredientes del plato, la introducción o exclusión de un ingrediente o alimento específico, la utilización de técnicas culinarias alternativas o la sustitución de la guarnición.

>> La petición del menú

El centro residencial presenta a cada persona usuaria las opciones que tiene para ella para cada una de las comidas del día y esta elige los platos que prefiere. Generalmente se presentan dos primeros y dos segundos platos

Fig. 7.3. Elaborar menús adecuados para cada residente es una tarea compleja.

en comida y cena, así como un listado de alimentos para desayuno, merienda y postres.

Las opciones que se presentan a cada persona están elaboradas teniendo en cuenta sus necesidades concretas: nivel energético, si hay algún alimento que no puede tomar, si debe seguir una dieta baja en sal o con una textura especial, etc.

Actualmente en muchas residencias y hospitales se utiliza un *software* de gestión de comidas y menús que permite realizar este proceso de manera más rápida y eficaz. Se pregunta a cada persona qué va a querer y se introduce su selección en el programa. El sistema traslada a la cocina las opciones elegidas, así como el tipo de dieta y si precisa alguna modificación en función de su patología. La petición de dietas es cada vez más habitual, ya que la calidad y la personalización en las comidas es uno de los aspectos más valorados por las familias en el momento de decidirse por un centro residencial u otro.

7.2.3. La planificación en el domicilio

Cuando la asistencia incluye la alimentación de la persona el personal sanitario nos informará de qué tipo de dieta debe seguir y, si corresponde, nos entregará la hoja de la dieta para que dispongamos de la información necesaria. También es posible que nos entregue un documento que muestre los alimentos o preparaciones prohibidos o poco recomendados, o algún modelo de menú semanal.

Aunque se trate de un domicilio, es importante elaborar el menú semanal teniendo en cuenta la dieta y, siempre que sea posible, hacerlo conjuntamente con la persona usuaria o bien pedir su opinión una vez hecho. De esta manera conseguimos un doble objetivo:

● Implicamos a la persona en su cuidado y le permitimos tomar decisiones sobre su vida.

● La podemos ir guiando sobre cómo debe ser su dieta. Por ejemplo, si propone cambiar un trozo de pollo por una pieza de carne roja, le podemos explicar la diferencia entre ambos alimentos.

Actividades

3. Define y relaciona los conceptos *dieta* y *menú*.

4. Infórmate sobre el funcionamiento de una residencia o un centro de día. Puedes buscar información por internet o visitar alguna. Intenta responder a todas estas preguntas:

   a) ¿Tiene cocina propia o se sirve de una empresa de restauración?

   b) ¿Cómo se organiza el servicio de alimentación en el comedor y las habitaciones?

   c) Qué tipo de opciones de menús ofrece y si dispone del sistema de petición de dietas.

   d) ¿Dispone de manual de dietas?

   e) ¿Dispone de la gestión de menús informatizada? Si es así, ¿cómo funciona?

5. En parejas, elaborad una encuesta sencilla para pasar a las personas usuarias de una residencia, a fin de que expresen sus preferencias en la elaboración de los menús y la mejora del servicio del comedor.

6. El menú que se ofrece a un persona debe cumplir con las pautas establecidas en su plan de cuidados. ¿Cómo se consigue cumplir este requisito para todas las personas que viven en una residencia?

 7.3. El servicio de comidas

La mayoría de las personas puede tomar los alimentos por vía oral, aunque algunas necesiten ayuda técnica o humana.

El servicio de comidas en el hospital

> El **servicio de comidas** gestiona todo el proceso de alimentación para las personas que pueden alimentarse oralmente.

Este servicio requiere una buena planificación, ya que para cada comida son necesarias diversas actividades:

- La preparación de las personas residentes.

- El reparto de las bandejas con la comida.

- Si es necesario, el apoyo a la ingesta.

- La retirada de las bandejas, cuando hayan acabado.

Tarea 3
Profundizar en el caso de José

Tarea 2
Prestar el apoyo a la administración oral de Rosario

Y todo ello hay que hacerlo varias veces al día, en cada una de las comidas. Las comidas suelen ser:

- Desayuno: entre las 8 y las 9 horas.

- Comida: entre las 12 y las 13:30 horas.

- Merienda: entre las 16 y las 17 horas.

- Cena: entre las 19:30 y las 21 horas.

7.3.1. Preparación, reparto y retirada

Los pasos básicos en cualquier servicio de comida son la *preparación de la persona*, el *reparto de bandejas* y la *recogida de bandejas*.

≫ La preparación de las personas residentes

Un rato antes de empezar el reparto de comidas, generalmente unos 15 minutos, se visita a cada persona y se la ayuda a prepararse en lo que requiera:

- Ayudarla a ir al baño o en cualquier otra necesidad previa a la comida.

- Acomodarla:

  - Si la comida se va a efectuar en cama, levantar el cabecero y posicionar a la persona para que esté cómoda.

  - Si va a comer sentada, ayudarla con las movilizaciones necesarias y dejarla acomodada en la silla o sillón.

- Preparar la mesa de la habitación: verificar que está limpia, retirar los objetos que pueda haber sobre ella, colocarla a la altura adecuada, etc.

≫ El reparto de las bandejas

Las bandejas llegan a las distintas plantas o zonas en carros, que las mantienen a una temperatura adecuada y las protegen de contaminaciones. Dentro del carro, en estantes, están las bandejas, ordenadas según el número de cama o habitación. Cada una lleva una etiqueta que indica, al menos, el número de cama y el tipo de dieta.

En primer lugar, nos lavamos las manos y nos ponemos guantes, y seguidamente comenzamos el reparto de bandejas por las habitaciones, siguiendo el orden establecido. En la entrega de cada bandeja:

- Verificamos que la bandeja corresponde a la persona, comprobando el número de cama y el código de dieta.

- Depositamos la bandeja en la mesa auxiliar y acercamos la mesa a la persona.

- Retiramos la tapa de la bandeja si la persona lo prefiere, aunque en personas autónomas es preferible que lo hagan ellas mismas.

- Antes de salir, comprobamos que el pulsador del timbre está a su alcance y nos aseguramos de que la persona está cómoda y lo tiene todo dispuesto para la comida.

Es importante hablar con la persona (decirle qué hay para comer, preguntarle si tiene hambre, etc.) y no limitarnos a dejar la comida. En la medida de nuestras posibilidades intentamos que el rato de la comida sea agradable para la persona.

>> La retirada de las bandejas

Transcurrido el tiempo establecido, pasamos por las habitaciones para recoger las bandejas. Las tapamos y las vamos depositando en el carro. La recogida también se hace con guantes.

Al recoger cada bandeja observamos lo que cada persona no ha consumido y, si se ha dejado mucha comida, le preguntamos la causa. Si es oportuno, registraremos la información significativa en la hoja de registro.

Una vez retirada la bandeja, limpiamos y apartamos la mesa. Si es necesario, ayudamos a la persona a volver a la cama o a acomodarse.

7.3.2. El comedor

Los centros residenciales suelen disponer de comedor y, siempre que sea posible, se opta por acompañar a las personas residentes al comedor para que puedan comer en la mesa, junto con otras personas.

La organización depende de cada centro y de las características de las personas residentes, pero siempre se debe garantizar que cada persona reciba el menú que tiene asignado.

Fig. 7.4. La comida en el comedor debe garantizar igualmente que cada persona recibe el menú que le corresponde, y los apoyos a la ingesta que necesita.

7.3.3. Apoyos a personas que necesitan ayuda

Tarea 4
Practicar el apoyo
a la ingesta

Las personas con niveles de dependencia leves o moderados necesitarán algún tipo de ayuda para su alimentación, sea en su habitación o en el comedor. El personal técnico en atención a personas en situación de dependencia (APSD) se encarga de prestar estas ayudas, aunque también las podrán efectuar acompañantes de la persona residente. Los criterios que debemos atender en la prestación de la ayuda son los siguientes:

- **Suplir las tareas que la persona no puede hacer por sí misma**. Supone ofrecer ayuda física para tareas como cortar la comida, llevarla a la boca, manejar los cubiertos, llenar el vaso de agua, etc.

- **Promover la autonomía**. Los apoyos han de estar orientados a mejorar el desempeño autónomo de la persona. Algunas estrategias para conseguirlo son:

  - Proporcionarle las **condiciones más idóneas** para que pueda realizar las tareas con la mínima ayuda: ponerla en una postura corporal cómoda y funcional, dejarle los utensilios al alcance, servir los alimentos con una consistencia y textura apropiadas a su capacidad de masticación y deglución, etc.

  - Proporcionarle solo la **ayuda necesaria** y fomentar que haga por sí misma aquello que pueda hacer. Por ejemplo, si es capaz de pelar la fruta, animarla a que lo haga y no hacerlo por ella.

  - Proporcionarle **productos de apoyo** y mostrarle cómo usarlos. Existen muchos productos de apoyo para la alimentación, como cubiertos con mangos adaptados, platos antideslizantes, vasos con sistema de agarre, etc. Estos productos permitirán que la persona pueda hacer por sí misma tareas que con utensilios no adaptados no podría hacer.

¡Tenlo en cuenta!

Durante la comida, deberéis hablar con la persona e intentar que se sienta cómoda. Es importante animarla a comer, pero sin forzarla. Si se produce cualquier incidencia o la persona no come, deberéis anotarlo en la hoja de registro.

Documento 7.1.
Productos de apoyo para la alimentación

Existen muchos productos diseñados para compensar determinadas limitaciones físicas. Gracias a ellos, las personas que presentan esas dificultades pueden realizar de forma autónoma actividades que de otra forma les estarían vedadas.

En el caso de los productos relacionados con la alimentación, se pueden destacar:

- **Cubiertos adaptados**. Generalmente, tienen mangos más gruesos o adaptables, con una determinada inclinación; son útiles cuando la persona no puede mover la muñeca o no puede asir los cubiertos con los dedos. Un tipo específico de cubierto adaptado es el cuchillo tenedor, que hace la función de ambos cubiertos y que está pensado para las personas que solo pueden manejar un cubierto a la vez.

- **Manopla**. Es como una correa pequeña que se adapta a la mano y a los cubiertos y pequeños utensilios. Es útil para favorecer el agarre y evitar que el utensilio se caiga.

- **Platos con el fondo inclinado**. Permiten que las sopas o las cremas se puedan coger más fácilmente. Están pensados para las personas que solo pueden usar una mano.

- **Platos con reborde**. Evitan que se derramen los alimentos. También existen rebordes que se fijan a cualquier plato.

- **Ayudas para manipular recipientes**. Pueden ser varios: adaptadores de agarre, sistemas de sujeción e inclinación de cafeteras o jarras, etc.

- **Vasos o tazas con distintos sistemas de agarre**. Para facilitar su manipulación a personas con limitaciones en la función de pinza.

- **Taza con tetina**. Es útil para facilitar la bebida de personas con temblores.

- **Tetina angulada**. Está moldeada en la parte superior para que la persona usuaria no tenga que inclinar el cuello. Se usa para personas que tienen reducida la movilidad del cuello.

- **Vaso de movilidad reducida**. Tiene un bocado en uno de los extremos que hace que la persona que bebe no deba inclinar el cuello. El uso es el mismo que el anterior.

- **Bomba manual para ingerir líquidos**. Está indicada para personas que no pueden succionar bien.

7.3.4. La alimentación de personas totalmente dependientes

Las personas en situación de gran dependencia suelen comer encamadas, pero también pueden hacerlo sentadas en un sillón. En cualquier caso, la técnica consiste en dar la comida llevándosela a la boca.

Para que la comida transcurra de forma segura, respetuosa y lo más placentera posible para la persona, es importante dedicarle el tiempo necesario y, en la medida de lo posible, mantener una conversación agradable.

Procedimiento 7.1.
Procedimiento de apoyo a la ingesta

Apoyo a la ingesta

Materiales

- Bandeja de comida
- Mesa auxiliar
- Servilletas
- Guantes

Pasos a seguir

Preparativos:

- Realiza una higiene de manos y ponte guantes.
- Comunica a la persona que es la hora de comer y explícale en qué consiste el menú. Pide su colaboración e indícale cómo puede prestarla.
- Dispón la mesa auxiliar a la altura adecuada, acomoda a la persona y colócale una servilleta sobre el pecho.

Procedimiento:

1. Dale la comida poco a poco, tomando estas precauciones:
   - Comprueba que los alimentos no están demasiado calientes.
   - Ofrece la comida a cucharadas o a trozos pequeños.
   - Asegúrate de que la persona ha engullido una porción antes de darle otra.
   - Proporciónale bebida cuando lo pida. Antes, límpiale los labios.
   - Anímala a que se acabe la comida, pero sin forzarla.

2. Cuando haya terminado, límpiale los labios, aparta la mesa y retira la bandeja.

3. Finalmente, realiza una higiene bucal.

4. Recoge los materiales y acomoda a la persona.

Fig. 7.5. La comida se debe ofrecer en fracciones pequeñas y asegurarse de que la persona ha tragado cada fracción antes de ofrecerle otra.

» Riesgos del apoyo a la ingesta

El apoyo a la ingesta conlleva ciertos riesgos que es necesario conocer y que se deben explicar a la familia si esta va a participar en las tareas de ayuda a la alimentación. Los más destacados son el riesgo de *aspiración bronquial* y el riesgo de *vómito*.

› Riesgo de broncoaspiración

Las personas que sufren dificultades en el proceso de deglución tienen riesgo de atragantamiento, que puede provocar el paso de alimento a las vías respiratorias (aspiración bronquial o broncoaspiración). La entrada de alimentos en las vías respiratorias puede provocar infecciones respiratorias y neumonías.

Es necesario, por tanto, adoptar medidas preventivas durante el proceso de ayuda a la ingesta de las personas con dificultades en la deglución. Las más destacadas son:

● Preparar un ambiente tranquilo, sin distracciones, para conseguir que la persona se concentre en lo que está haciendo.

● No tener prisa al ofrecerle la comida y parar si la persona está cansada.

● Colocar a la persona con la espalda recta (60-90º) y la cabeza ligeramente inclinada hacia delante. Mantenla en esta postura desde 15 minutos antes de comer hasta 15 minutos después.

● Colocarse a la altura de los ojos o por debajo para evitar que la persona levante la cabeza al tragar, ya que si lo hace se facilita que el alimento pase a las vías respiratorias.

● Utilizar una cucharita de postre para que las cantidades sean pequeñas y apoyarla sobre la lengua porque así se estimula la deglución. No usar jeringuillas ni pajitas.

● Asegurarse de que mastica bien antes de tragar, animarla a tragar varias veces y comprobar que lo ha tragado todo antes de seguir.

● Limpiarle la boca después de cada bocado, para evitar que queden restos que puedan pasar a la vía respiratoria.

Si a pesar de las precauciones se atraganta, no hay que darle agua. Hacemos que se incline hacia delante para evitar aspiraciones y la animamos a toser. Cuando haya parado de toser le podremos ofrecer líquido.

> Riesgo de vómito

Es posible que durante la ingesta de alimentos la persona vomite. En este caso, el mayor riesgo es que se produzca una broncoaspiración. Ante esta situación, debemos:

● Mantener la calma y tranquilizar a la persona.

● Incorporarla o inclinarla lateralmente para que el vómito pueda salir sin que pase a las vías respiratorias.

● Ofrecerle un recipiente para que pueda vomitar y colocar una toalla para proteger la cama y a la persona.

Una vez que haya acabado, le preguntamos cómo se siente y si quiere un poco de agua. Si sigue teniendo náuseas, sustituimos el recipiente por otro limpio y la mantenemos en la misma posición. Cuando ya no necesite volver a vomitar, retiramos el recipiente y limpiamos lo que se haya ensuciado. Finalmente, acomodamos a la persona y registramos la incidencia, haciendo constar:

● Hora del vómito y momento de la comida (antes, durante, al acabar).

● Cómo ha sido el vómito: con arcadas, en torrente, etc.

● Cantidad y características: color, restos de alimentos, presencia de sangre, etc.

● Estado de la persona antes y después del vómito.

 ## Actividades

Estrategia cooperativa 1-2-4

7. Valora si las siguientes actuaciones son correctas o no. Si no lo son, explica las causas y cómo deberías haber procedido.

a) Como las bandejas están colocadas en el carro en el orden en que se deben repartir, no es necesario hacer ninguna verificación: las vas entregando en el orden en que están.

b) Al entrar la bandeja en una habitación, la depositas en la mesa auxiliar, retiras la tapa de la bandeja y te la llevas.

c) Al ir a recoger una bandeja, ves que la persona le ha colocado la tapa. Se lo agradeces y te llevas la bandeja con su tapa.

8. Un hombre de 55 años ha sufrido una lesión en el codo derecho y no puede mover la articulación. El personal médico estima que, haciendo rehabilitación, recuperará parcialmente la movilidad. Es diestro, por lo que tiene dificultades para comer. Usando la **estrategia cooperativa 1-2-4**, planted un plan de propuestas que se podrían aplicar para promover su autonomía.

9. Cita los principales riesgos del procedimiento de apoyo a la ingesta y detalla algunas medidas para evitarlos.

10. Tenéis que dar la comida a Camila, una señora de 72 años encamada que no puede comer por sí misma. En pequeños grupos realizad un *role playing* con el procedimiento completo (desde 15 minutos antes de comer hasta la finalización del procedimiento). Algunas orientaciones son:

● Los roles son el de Camila y el de técnico/a en APSD; las demás personas actúan como observadoras y anotan lo que consideren interesante comentar después. Os iréis intercambiando los roles.

● Mantened la conversación con la persona durante todo el tiempo, intentando que la comida sea un rato agradable para ella. Si se da la ocasión proponed alguna acción para que sea más autónoma.

● Id incluyendo en algunas simulaciones complicaciones como que la persona no tiene apetito o tiene náuseas.

 7.4. Nutrición enteral

Algunas personas no pueden ingerir y deglutir normalmente los alimentos y es necesario proporcionarles los nutrientes que necesitan por otras vías. Una de ellas es la *vía enteral*.

Tarea 5
Estudiar la alimentación por vía enteral de Ana

Tarea 3
Alimentación enteral: sonda nasogástrico o sonda de enterostomía

> La **nutrición enteral** consiste en la administración de un preparado nutricional a través de una sonda que va hasta el estómago o el inicio del intestino delgado.

La alimentación enteral se puede efectuar utilizando dos procedimientos:

- Mediante una **sonda nasoenteral**, que se introduce por la nariz y discurre por el aparato digestivo hasta la zona donde se vuelcan los nutrientes. La sonda puede ser:

    - **Sonda nasogástrica**: desemboca en el estómago.

    - **Sonda nasoduodenal** y **sonda nasoyeyunal**, que desembocan en las secciones correspondientes del intestino delgado.

- Mediante una **sonda de enterostomía**, que se conecta a una abertura practicada en la pared abdominal que comunica con el tracto digestivo. La abertura se denomina estoma; las más habituales son las que se practican en el estómago (**gastrostomía**) o en el yeyuno (**yeyunostomía**).

7.4.1. Nutrición enteral por sonda nasoenteral

La sonda se introduce por la nariz y desemboca en el estómago, en el duodeno o en el yeyuno. A través de ella se introduce un preparado que contiene los nutrientes y la energía que la persona necesita.

Se suele utilizar este sistema cuando la nutrición enteral es necesaria por un periodo relativamente corto de tiempo, inferior a las 6-8 semanas, aunque en ocasiones se puede dejar durante más tiempo o incluso de forma permanente.

Tarea 4
Ayudar a colocar la sonda nasoenteral

El sondaje o colocación de la sonda es un procedimiento que realiza el personal de enfermería. El personal técnico se ocupa de la *administración del preparado nutricional* y de los *cuidados de la sonda*.

Fig. 7.6. Sonda nasogástrica.

>> Administración del preparado nutricional

Tarea 5
Alimentar por sonda
nasoenteral

La administración del preparado nutricional se puede realizar de forma:

- **Continua**. Se administra por goteo durante las 24 horas del día. Tiene algunas ventajas, como mejorar la absorción y generar pocos residuos.

- **En bolo**. Se administran unos 350 ml de preparado cada cierto tiempo (por ejemplo, cada 3 o 4 horas), siguiendo instrucciones del personal sanitario para cada persona. La principal ventaja de este sistema es que permite una mayor autonomía de la persona y mantiene la secuencia de hambre-saciedad. Por el contrario, presenta un riesgo mayor de vómitos y aspiraciones.

También existen diferentes sistemas de infusión:

- **Con jeringa**. Se utiliza para administraciones en bolo. Consiste en cargar el preparado nutricional en una jeringa de 50 cm³ e irlo vaciando poco a poco en la sonda. El volumen y la velocidad de infusión deben ser los establecidos por el personal sanitario en el plan de cuidados.

- **Por gravedad**. Se utiliza principalmente para administraciones en bolo. El preparado nutricional viene en una bolsa, que se conecta a la sonda y se cuelga a una cierta altura para que el contenido vaya bajando hacia la sonda. El sistema tiene una llave para abrir y cerrar el paso, y para graduar la velocidad de infusión.

- **Mediante bomba de perfusión**. Se usa para la administración continua en personas que requieren una pauta de infusión muy precisa. La bomba de perfusión va conectada por un lado a la bolsa de preparado nutricional y por otro a la sonda. La bomba va impulsando el preparado hacia la sonda, de forma estable, con la velocidad y flujo de infusión que se haya programado.

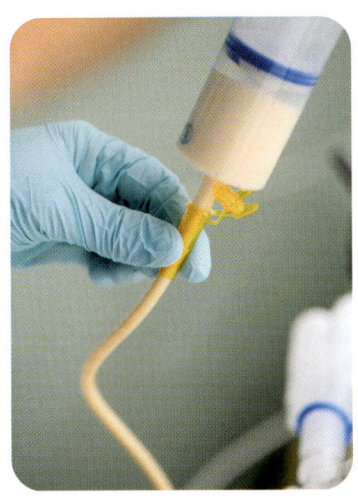

Fig. 7.7. Administración con jeringa.

El procedimiento de administración sigue unos pasos generales, que podrán variar ligeramente según el sistema y el dispositivo empleado. (Proc. 7.2)

Procedimiento 7.2.
Procedimiento de administración en bolo del preparado nutricional

Nutrición por sonda nasogástrica

Materiales

- Guantes
- Preparado nutricional
- Jeringa de nutrición o dispositivo para administración por gravedad
- Jeringa para limpiar la sonda

Pasos a seguir

Preparación:

- Dispón a la persona en posición de Fowler e infórmala sobre el procedimiento que vas a realizar. Realiza una higiene de manos y colócate unos guantes.

- Verifica el preparado nutricional: confirma que es el preparado que corresponde a esa persona, verifica que no está caducado ni en mal estado y que está a temperatura ambiente.

- Verifica la sonda: comprueba que está bien colocada, mediante el procedimiento que haya indicado el personal sanitario, e inyecta unos 30 cm³ de agua en ella, para limpiarla.

Procedimiento:

1. Procede a la administración del preparado. La forma de hacerlo variará según la técnica:

    - **Con jeringa de nutrición**:
        — Aspira el preparado con la jeringa.   ▶

Procedimiento 7.2. (cont.)

— Conecta la jeringa a la sonda.

— Inyecta lentamente el contenido. Normalmente se tardan unos 10-15 minutos en completar la administración.

- **Por gravedad**:

— Conecta el sistema de administración a la bolsa y cuelga la bolsa a unos 40-60 cm por encima de la cabeza.

— Purga el sistema: abre la llave para que la sonda se llene de preparado, deja que caigan unas gotas y cierra la llave.

— Conecta el sistema a la sonda y abre la llave, graduando con ella la velocidad de administración.

2. Una vez completada la administración, retira la jeringa o el dispositivo de administración.

3. Inyecta unos 30 cm³ de agua en la sonda para limpiarla y pínzala para que no le entre aire. Ponle el tapón hasta la próxima alimentación.

4. Limpia la boca y la nariz de la persona y déjala en posición sentada o semisentada para evitar vómitos y aspiraciones. Retira el material y registra la intervención.

>> Riesgos de la nutrición por sonda nasoenteral

La alimentación por sonda nasoenteral puede comportar complicaciones, de las cuales las más comunes son las siguientes:

- Las **diarreas** son la complicación más frecuente. Los motivos más comunes son la contaminación del alimento, una administración demasiado rápida, una temperatura inadecuada o la excesiva concentración del preparado.

- Las **regurgitaciones**, los **vómitos** o la **sensación de plenitud abdominal**. Las causas de estas manifestaciones son las mismas de antes, añadiendo la obstrucción intestinal. Los vómitos podrían provocar la salida o el desplazamiento de la sonda.

- La **deshidratación**, que ocurre si no se administra el suficiente líquido.

- La **desinserción de la sonda**, generalmente por movimientos que haga la persona o porque se la arranque.

- La **obstrucción de la sonda** por tapones de moco, secreciones o restos de alimentos.

- Las **lesiones en la piel o en la mucosa nasofaríngea**. Las causas pueden ser los materiales de fijación de la sonda, un calibre inadecuado de la sonda, la falta de salivación o la respiración siempre bucal.

>> Precauciones en la nutrición por sonda nasoenteral

Para aliviar las molestias a la persona usuaria, mantener la sonda en buenas condiciones y prevenir los riesgos de este tipo de nutrición, se deben tener en cuenta las siguientes cuestiones:

- **Cuidados de la sonda**:

- Revisar la longitud de la parte exterior de la sonda para controlar que no se haya desplazado hacia dentro o hacia fuera.

- Mantener el tapón de la sonda puesto mientras esta no se esté utilizando.

- Rotar ligeramente la sonda, con mucho cuidado, para cambiar la zona de contacto y evitar adherencias en las fosas nasales.

- Prestar atención al estado de la sonda: debe cambiarse si está obturada, si tiene grietas o si está ennegrecida. Si no ha sido necesario sustituirla antes, se suele cambiar cada 6-8 semanas.

- Manipular la sonda y los productos para la administración del preparado con guantes y prestando atención para evitar su contaminación.

- **Cuidados de la zona de inserción y de la boca**:

  - Cambiar diariamente el apósito con el que se sujeta la sonda. También hay que hacerlo cada vez que se despegue o se ensucie. Es preferible ir cambiando el lugar de fijación, como medida de prevención para la formación de úlceras.

  - Limpiar el interior de la fosa nasal donde esté la sonda con suero fisiológico y aplicar un producto hidratante.

  - Realizar la higiene oral varias veces al día, aunque no se tomen alimentos por boca, y aplicar vaselina en los labios. Las personas con sonda respiran por la boca y las mucosa se resecan.

- **Precauciones en la administración**:

  - Realizar la administración aplicando la velocidad de infusión establecida, dedicándole el tiempo necesario.

  - Comprobar que la temperatura del preparado es correcta.

7.4.2. Nutrición enteral por enterostomía

Cuando no es posible la nutrición mediante sonda nasoenteral o la nutrición enteral va a prolongarse en el tiempo, se puede recurrir a la *enterostomía*. La principal ventaja de utilizar esta vía es que se evita el riesgo de broncoaspiración. Otro aspecto interesante es que la desintubación involuntaria es mucho más improbable que en el caso de las sondas introducidas por la nariz.

> La **enterostomía** es la creación de una abertura (estoma) en la pared del abdomen para conectar el tubo digestivo con el exterior a través de una sonda con el objetivo de introducir los nutrientes directamente al aparato digestivo.

Las vías más habituales son la gastrostomía, que conecta con el estómago, o la yeyunostomía, que lo hace con el yeyuno. En ambos casos, la ostomía la realiza el personal médico y los procedimientos en los que participa el personal técnico son la *administración de los preparados nutricionales* y el *cuidado del estoma*.

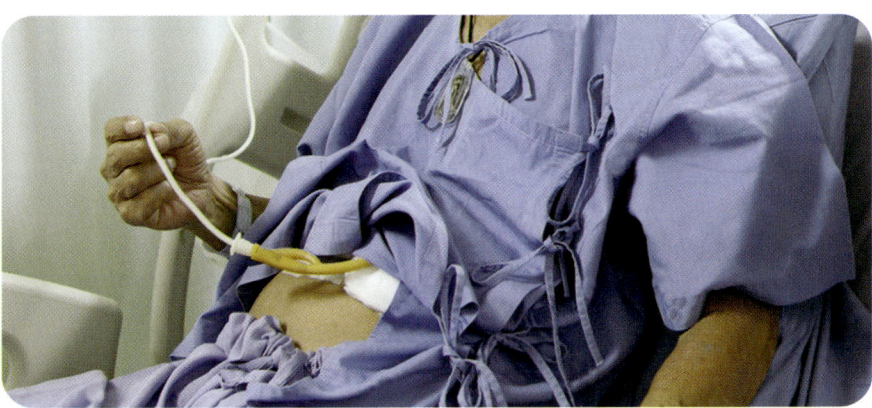

Fig. 7.8. Enterostomía.

Tarea 6
Alimentar por sonda
de gastrostomía

» Administración del preparado nutricional

El procedimiento que se aplica para administrar el preparado nutricional a las personas con enterostomías es similar al que se sigue en personas con sonda nasoenteral, con las particularidades específicas de cada sistema de administración. El preparado de nutrición enteral, igual que ocurría con las sondas nasoenterales, debe estar a temperatura ambiente. Y también en este caso es necesario lavar la sonda antes y después de cada uso, mediante la irrigación de 50 ml de agua.

» Cuidados del estoma

Es necesario mantener una higiene estricta del estoma y de la zona circundante. El lavado se realiza con una gasa humedecida en suero fisiológico, realizando movimientos circulares, desde el centro hacia el exterior y sin presionar la sonda. Seguidamente se seca mediante la misma técnica, con una gasa seca. La piel que rodea al estoma se debe proteger del contacto con el líquido que pueda salir, por ejemplo, enzimas digestivas, que son altamente irritantes.

» Cuidados de la sonda de enterostomía

Generalmente la sonda se cambia cada 6-12 meses. Para el mantenimiento correcto mientras está colocada es necesario:

- Fijar la parte externa de la sonda con esparadrapo hipoalergénico aprovechando la flexión natural de la sonda y evitando las tensiones y presiones sobre el área que rodea el estoma.

- Revisar periódicamente la longitud de la parte exterior de la sonda para comprobar que no se ha desplazado hacia dentro o hacia fuera.

- Limpiar el exterior del tubo, el apoyo externo y el conector adaptador, como mínimo cada día. Mantener la zona de inserción siempre limpia y seca.

- Rotar suavemente cada día la sonda y su apoyo externo para evitar adherencias y favorecer la ventilación de la piel.

- Mantener el tapón colocado mientras no se use la sonda.

» Riesgos de la nutrición por sonda de gastrostomía

La alimentación por medio de una sonda de gastrostomía puede implicar algunas complicaciones. Una de ellas es la obstrucción de la sonda, que puede resolverse irrigándola con agua tibia y aspirando con una jeringa de 50 cm³. Otras complicaciones requerirán la intervención del personal de enfermería. Las más comunes son las inflamaciones en el estoma, la salida de la sonda, la salida de contenido gástrico fuera del tubo o el sangrado por los bordes del estoma.

 Actividades

Mapa de comparación 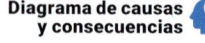 Diagrama de causas
y contraste   y consecuencias

11. Cuando no es posible la alimentación por vía oral, existen las alternativas de la sonda nasogástrica y de la ostomía. Elabora un **mapa de comparación y contraste** para comparar ambos métodos.

12. Elabora un **diagrama de causas y consecuencias** para resumir las complicaciones de la nutrición por sonda nasogástrica.

7.5. Nutrición parenteral

> La **nutrición parenteral** consiste en la administración de nutrientes por vía endovenosa.

La persona tiene colocado un catéter intravenoso especial para este uso, a través del cual se introduce un preparado nutricional.

El objetivo es restablecer y mantener el estado nutricional adecuado y un correcto balance hídrico y electrolítico en personas que no pueden alimentarse por otras vías.

Las causas más habituales que impiden la nutrición por otras vías son las obstrucciones intestinales, situaciones en que se necesita un reposo del tubo digestivo o en el postoperatorio de una cirugía abdominal.

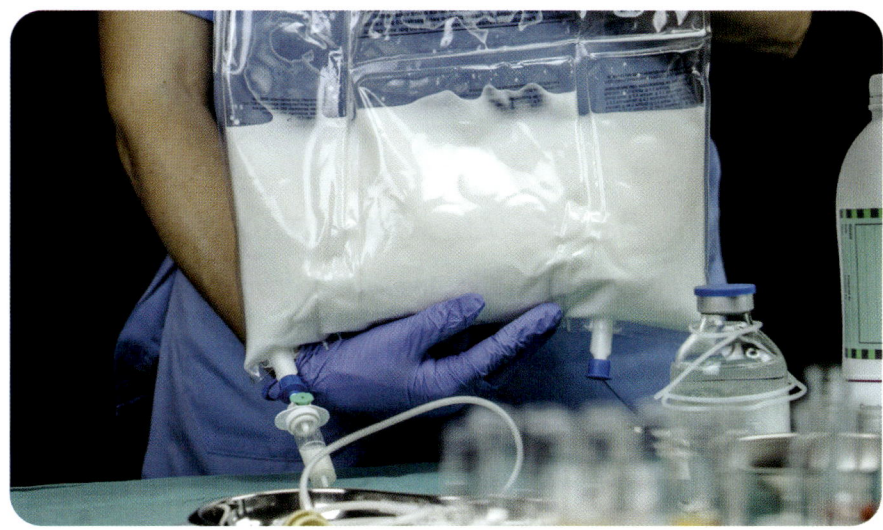

Fig. 7.9. Preparado nutricional para la administración parenteral.

7.5.1. Tipos de nutrición parenteral

Existen diferentes tipos de nutrición parenteral. En algunos casos la persona recibe todos los nutrientes por esta vía, en otros se recurre a este sistema para aportar ciertos nutrientes y complementar así la dieta que recibe por otra vía distinta.

La nutrición parenteral es habitual en los hospitales, aunque cada vez es más frecuente la *nutrición parenteral domiciliaria*.

> La **nutrición parenteral domiciliaria** (NPD) es la administración de la nutrición parenteral en el domicilio del paciente.

La NPD permite que la persona pueda estar en su domicilio, lo que mejora su calidad de vida y favorece la reincorporación de la persona enferma a su medio sociofamiliar.

En la NPD es especialmente importante la educación en los autocuidados y el personal sanitario debe adiestrar a la persona usuaria o a las que cuidan de ella para que puedan efectuar los cuidados de la vía, el catéter, la bolsa y la bomba de perfusión. Para controlar posibles complicaciones, el personal sanitario realiza visitas frecuentes, en las que revisan todos los elementos necesarios para la administración, así como la correcta aplicación de los procedimientos.

Tarea 6
Apoyar a David en su alimentación por vía parenteral

7.5.2. Elementos para la administración

Para asegurar una aplicación segura de la alimentación por vía parenteral se necesitan los elementos siguientes:

● **Preparados dietéticos**. Son soluciones que contienen nutrientes disueltos en agua. Como se van a introducir directamente en la sangre, estas soluciones son estériles.

● **Catéter**. Es el tubo que va insertado a la vena y fijado para evitar desplazamientos. El catéter lleva una conexión externa para acoplar el tubo por el que se administra el preparado.

● **Bomba de infusión**. Es un dispositivo que controla el flujo del preparado desde la bolsa hasta el catéter. La bomba garantiza que la administración se realice a un ritmo constante y continuo, evitando la sobrecarga o la insuficiencia en la entrega de nutrientes. Está equipada con alarmas, lo que ayuda a prevenir complicaciones en la infusión del preparado. La infusión se realiza de forma continua y manteniendo en todo momento el ritmo establecido. Para garantizar que esto se cumpla, la bolsa de nutrientes se cambia cada 24 horas, a la misma hora, aunque la solución no se haya acabado, para evitar que se vacíe y pasen minutos sin infundir solución. Al retirar una bolsa hay que registrar la cantidad que realmente se ha infundido.

7.5.3. Cuidados en la nutrición parenteral

En todos los procedimientos es imprescindible la higiene personal y de los materiales. Pero cuando se trata de administrar preparados que van directamente al flujo sanguíneo, los requisitos son más rigurosos y es necesario realizar los procedimientos en condiciones de asepsia. En el módulo de ATENCIÓN HIGIÉNICA aprenderás a realizar procedimientos en condiciones de asepsia. Las recomendaciones básicas para realizar la administración de preparados nutricionales por vía parenteral son:

● Efectúa una higiene de manos y ponte correctamente unos guantes estériles antes de empezar.

● Realiza la limpieza y cuidado del catéter y de la piel de alrededor siguiendo las instrucciones que te habrá proporcionado el personal sanitario.

● Manipula el recipiente del preparado y todos los materiales necesarios para administrarlo de forma segura y nunca los dejes sobre superficies potencialmente contaminadas.

● Realiza la limpieza y mantenimiento de la bomba de perfusión, si es el caso, siguiendo las instrucciones que acompañan al equipo.

● Verifica con especial cuidado el preparado que vas a usar: que sea el que corresponde, que esté en buen estado, que no esté caducado, que se haya conservado en las condiciones que corresponda, que esté a una temperatura adecuada, etc.

 Actividades　　　　　Color, símbolo, imagen 　　Infografía

13. Elabora la rutina de pensamiento **color, símbolo, imagen** sobre la alimentación por vía parenteral, explicando: el color que te sugiere, un símbolo que la identifique y una imagen que la defina.

14. Elabora una **infografía** que resuma los cuidados para la administración segura de la nutrición parenteral.

 # 7.6. La eliminación intestinal

La última fase del proceso digestivo es la eliminación en forma de heces de los restos de alimentos que el organismo no ha absorbido. También en este caso se valoran las dificultades que pueda tener la persona, que estarán recogidas en su plan de cuidados, y se planifican las estrategias más convenientes, según su situación.

7.6.1. Materiales para la recogida

Existen distintas posibilidades:

- Si la persona controla la defecación y puede desplazarse al baño, aunque sea con ayuda, puede usar normalmente el inodoro. Es importante asegurarse de que se ha limpiado bien y de que se ha lavado las manos al terminar.

- Si la persona controla la defecación, pero no puede desplazarse, la defecación deberá hacerse en la cama utilizando un orinal.

- Si la persona tiene incontinencia urinaria, incontinencia fecal o incontinencia doble, se le colocan productos absorbentes para recoger sus eliminaciones. Existen diversos productos que cumplen esta función, como compresas especiales, ropa interior para incontinencia o pañales o absorbentes de incontinencia.

  En algunos casos la persona puede cambiar los absorbentes por sí misma, aunque lo más habitual es que necesite algún nivel de ayuda o que alguien lo haga por ella.

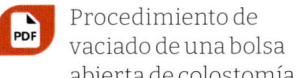

- Si la persona tiene una colostomía la recogida se hace mediante una bolsa colectora. Existen bolsas abiertas, con una llave de paso que permite su vaciado, y bolsas cerradas que no se pueden vaciar y que se cambian cada vez que el contenido alcanza el nivel establecido.

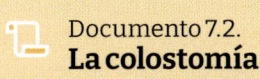
Documento 7.2.
La colostomía

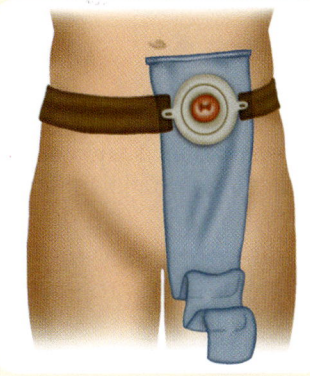

La colostomía es un procedimiento quirúrgico en el que se practica una abertura (estoma) en la pared abdominal, por la que se saca un extremo del intestino grueso.

Tras este procedimiento, las heces salen por el estoma y se recogen en una bolsa colectora (bolsa de colostomía), que va adherida a la piel del abdomen. Las heces entrarán en contacto con el estoma, y la piel soportará el adhesivo, por lo que la higiene debe ser extrema.

En el módulo de ATENCIÓN HIGIÉNICA se explican los distintos procedimientos de recogida.

La persona en situación de dependencia y su familia deben ser informadas del sistema que se debe aplicar, así como de la forma en que deben hacerlo y de los materiales que necesitarán.

7.6.2. Alteraciones frecuentes

Entre las personas en situación de dependencia que toman los alimentos por vía oral o enteral, la *diarrea* y el *estreñimiento* son trastornos relativamente frecuentes.

>> La diarrea

> La **diarrea** es la expulsión de heces líquidas o pastosas y la defecación frecuente.

Ante una diarrea es necesario valorar:

- Si hay otros signos o síntomas, especialmente si va acompañada de fiebre, lo que indicaría una posible infección.

- Si se ha producido alguna variación en la dieta, o revisar que las pautas se han aplicado correctamente.

- En el caso de la nutrición enteral, si se han administrado los preparados correctos y a una temperatura adecuada, y si la velocidad de infusión ha sido la indicada.

También se debe controlar y anotar la frecuencia de los episodios de diarrea. De forma general, las principales medidas que se deben adoptar son:

- Debemos tener en cuenta que la diarrea produce una pérdida de agua, lo cual puede causar una deshidratación. La persona debe tomar líquidos y debemos realizar un control del balance hídrico. Los líquidos que le ofrezcamos no deben estar demasiado fríos o calientes, ya que ello hace aumentar el peristaltismo.

- Mientras la diarrea se mantenga, no importa que la persona se pierda alguna comida, porque su tracto digestivo necesita reposo para recuperarse.

  Cuando empiece a tener ganas de comer, la realimentación debe ser progresiva, respetando el hambre que tenga y sin forzarla a comer. Se le ofrecerá una dieta astringente, que puede comenzar con leche un poco diluida, yogur natural, pollo o pescado cocidos, arroz, zanahorias, pan tostado, etc. En caso de nutrición enteral, se seguirán las pautas que indique el personal médico.

>> El estreñimiento

Una dieta pobre en fibra, la edad avanzada, la falta de actividad física y la obesidad, así como la nutrición enteral, son factores que predisponen a sufrir *estreñimiento*.

> El **estreñimiento** cursa con heces duras o secas, defecación poco frecuente y con dificultad.

Las personas que tienden a sufrir estreñimiento han de cuidar especialmente su dieta, que debe incluir suficiente fibra dietética y agua, y realizar actividad física en la medida de sus posibilidades.

Algunas personas de edad avanzada recurren a los laxantes de forma habitual para combatir el estreñimiento. Es conveniente explicarles que la mejor prevención es mediante la dieta y que el uso cotidiano de estos productos altera el funcionamiento normal de su organismo.

¡Tenlo en cuenta!

Es importante que la persona y su familia sean conscientes del riesgo de sufrir estreñimiento y apliquen las medidas preventivas para evitarlo.

Actividades

 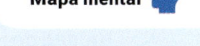 Mapa mental

15. Elabora un **mapa mental** que muestre las diferentes formas de recogida de las heces, dependiendo de la situación de la persona.

16. Valora la necesidad de detallar a la familia los procedimientos de recogida y eliminación de excretas que se deben aplicar a su familiar en situación de dependencia, así como las precauciones que corresponde adoptar.

 RETO 7.1
Participar del programa de mentorías en apoyos a la alimentación

Tarea Final: Elaborar un póster para el programa de mentorías en apoyos a la alimentación.

 RETO 7.2
La prestación de apoyos a la alimentación y cuidados asociados. El caso de Rosario

Tarea Final: Dar las instrucciones a la familia.

¿Qué sabes ahora de...?

Reflexiona y valora tus conocimientos respecto a cada una de las siguientes cuestiones:

- ¿Sabes qué acciones hay que llevar a cabo antes de repartir las bandejas de comida por las habitaciones?
- ¿Sabes en qué posición se debe colocar a una persona para apoyarla en la ingesta?
- ¿Sabes qué cuidados precisa la sonda nasoenteral?
- ¿Sabes en qué consiste la alimentación por vía parenteral?

 Ni idea

 Me suena

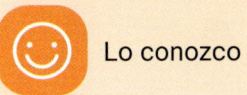 Lo conozco

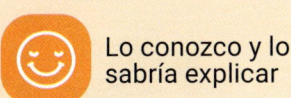 Lo conozco y lo sabría explicar

Control y seguimiento de las actividades de atención sanitaria

¿Qué sabes de...?

- ¿Sabes qué se suele observar durante la atención a una persona en situación de dependencia?
- ¿Sabes qué características deben tener los protocolos de observación, control y seguimiento?
- ¿Sabes qué ventajas tienen los registros informáticos frente a los manuales?
- ¿Sabes por qué es importante la comunicación con la familia de la persona atendida?

⭐ RETO 1

El registro de las actividades de atención sanitaria

1. **Control y seguimiento de la evolución física y sanitaria**

Control y seguimiento de las actividades de atención sanitaria

2. **La obtención y el registro de la información**

3. **La comunicación**

8.1. Control y seguimiento de la evolución física y sanitaria

El control y seguimiento de la evolución física y sanitaria de personas en situación de dependencia es fundamental para garantizar su bienestar, prevenir complicaciones de salud, mejorar su calidad de vida y conseguir una atención más eficiente y humanizada.

8.1.1. Importancia del control y seguimiento

Tarea 1
El seguimiento de las actividades de atención sanitaria

Su importancia radica en varios aspectos clave:

- **Detección precoz de cambios en el estado de salud**, lo que permite identificar signos de deterioro físico o enfermedades en etapas tempranas y facilita una intervención rápida y efectiva, evitando complicaciones.

  Un seguimiento adecuado, por ejemplo, ayuda a prevenir úlceras por presión, infecciones, desnutrición y otros problemas comunes en personas dependientes.

- **Personalización de los cuidados**. Se adapta la atención según la evolución de cada persona, ajustando terapias, ejercicios o dietas según sus necesidades. Esto favorece un enfoque centrado en la persona, respetando sus preferencias y capacidades.

- **Mejora de la calidad de vida**. Un control adecuado permite mantener el bienestar y la autonomía de la persona el mayor tiempo posible.

- **Apoyo a las familias y personas cuidadoras**. Proporciona seguridad y tranquilidad a la familia y reduce la sobrecarga de la persona que actúa como cuidadora principal, al contar con información clara y estrategias de cuidado efectivas.

8.1.2. Herramientas de control y seguimiento

El control y seguimiento del estado físico y sanitario de personas en situación de dependencia se basan en la aplicación de protocolos de *observación*, *control* y *seguimiento*.

¡Tenlo en cuenta!

> Un protocolo es un documento formal que detalla la secuencia de los pasos que debe seguir el personal para la realización de un procedimiento de atención de manera correcta.

Estos protocolos deben cumplir con ciertas características para garantizar una atención eficaz, segura y personalizada. Estas características incluyen:

- **Claridad y estructuración**. Deben estar bien definidos, con pasos detallados y comprensibles para todos los profesionales y cuidadores. Es necesario que incluyan pautas específicas sobre qué, cómo y cuándo realizar las observaciones y registros.

- **Personalización**. Se deben adaptar a las necesidades individuales de cada persona en función de su estado de salud, patologías y nivel de dependencia, y permitir ajustes según la evolución del paciente.

- **Integralidad**. Deben abarcar todos los aspectos de la salud de la persona, incluyendo:

  - Estado físico: signos vitales, movilidad, peso, hidratación, etc.

  - Estado mental y emocional: cambios en el estado de ánimo, orientación, etc.

  - Hábitos de alimentación e hidratación.

  - Higiene y cuidados de la piel (úlceras por presión, heridas, etc.).

  - Adherencia a tratamientos y medicación.

- **Registro continuo y actualizado**. Los datos deben documentarse de forma sistemática y actualizada para un seguimiento efectivo.

- **Coordinación interdisciplinaria**. Es necesario definir las responsabilidades para cada profesional dentro del protocolo y facilitar la comunicación entre el personal implicado.

- **Accesibilidad y facilidad de aplicación**. Deben ser fáciles de entender y aplicar por todas las personas implicadas en el cuidado, e incluir indicaciones claras sobre acciones que tomar ante diferentes situaciones.

- **Enfoque preventivo y proactivo**. No solo deben centrarse en el control de síntomas, sino en la prevención de complicaciones. Por ello, deben incorporar pautas para detectar signos de alerta tempranos.

- **Evaluación y mejora continua**. Los protocolos se deben revisar periódicamente, con la participación de todas las personas implicadas.

>> La observación

Tarea 3
La observación

La observación es un proceso continuo que permite identificar cambios en el estado de salud de la persona dependiente. El personal técnico en atención a personas en situación de dependencia (APSD), que mantiene una relación estrecha y continua con las personas atendidas, es el que tiene más oportunidades de realizar una observación continuada.

Cuando la persona tiene ciertas enfermedades o el riesgo de sufrir enfermedades o lesiones concretas, el personal sanitario comunica qué se debe observar para detectar precozmente cualquier agravamiento. En estos casos, la observación y el registro se incluyen en el plan de cuidados.

Aunque no se planifiquen signos concretos para observar, es necesario realizar una observación sistematizada mientras se llevan a cabo las distintas actividades de cuidado y, especialmente, de higiene.

Los principales aspectos que se observan son:

- **Estado general**: nivel de consciencia, estado mental, estado emocional, dificultades en la respiración, problemas digestivos, signos de deshidratación, etc.

- **Movilidad**: pérdida de movilidad, dolor, posiciones anómalas, etc.

- **Piel y mucosas**: aparición de edemas, hematomas o úlceras por presión.

- **Eliminaciones**: principalmente las alteraciones en la frecuencia, cantidad o características físicas de las micciones y deposiciones.

Las alteraciones detectadas se deben registrar y, si se considera urgente, comunicar por la vía establecida al personal sanitario, para que valore cuál es su causa y plantee medidas correctivas o de tratamiento.

Documento 8.1.
Ejemplo de protocolo de observación para la atención a personas en situación de dependencia (APSD)

1. Objetivo	Garantizar un seguimiento sistemático del estado físico y sanitario de la persona en situación de dependencia, permitiendo la detección temprana de cambios en su salud y la implementación de medidas preventivas o correctivas.
2. Alcance	Aplicable a todas las personas en situación de dependencia atendidas en centros residenciales, domicilios o instituciones sanitarias. Dirigido a personas cuidadoras, personal técnico en APSD, personal técnico en cuidados auxiliares de enfermería, personal de enfermería y otros profesionales sanitarios.

3. Procedimiento

3.1. Frecuencia de la observación

- Diaria: signos vitales, estado general, higiene, alimentación, hidratación.
- Semanal: evaluación de peso, movilidad, estado emocional.
- Mensual o según indicación médica: exámenes de laboratorio o control especializado.

3.2. Parámetros que observar

Área	Indicadores que observar	Acciones recomendadas
Estado general	Nivel de consciencia, estado de ánimo, respuesta a estímulos.	Notificar cambios al equipo médico.
Signos vitales	Temperatura, frecuencia cardiaca, presión arterial, saturación de oxígeno.	Registrar diariamente y actuar según valores fuera de rango.
Movilidad	Capacidad de desplazamiento, presencia de dolor al moverse, contracturas.	Adaptar ejercicios físicos, prevenir caídas.
Piel e higiene	Integridad cutánea, presencia de úlceras por presión, heridas o infecciones.	Asegurar cambios posturales, hidratación de la piel.
Alimentación e hidratación	Apetito, tipo de dieta, cantidad de líquidos ingeridos.	Notificar pérdida de peso o signos de deshidratación.
Eliminación	Patrón de micción y evacuación, signos de estreñimiento o incontinencia.	Controlar cambios y adaptar cuidados.
Medicación	Adherencia al tratamiento, posibles efectos adversos.	Revisar administración y reportar incidencias.

3.3. Registro de información

- Todos los datos deben anotarse en la ficha de seguimiento del paciente.
- En caso de detectar anomalías, se deberá informar al responsable sanitario y registrar la incidencia en el sistema.

3.4. Actuación ante cambios significativos

- Síntomas leves: mayor vigilancia y ajustes en los cuidados.
- Síntomas moderados: avisar al responsable sanitario y realizar seguimiento intensivo.
- Síntomas graves: activar protocolo de emergencia y contactar con el servicio médico.

4. Responsables	• Personal técnico y personas cuidadoras: realizar observaciones diarias y registrar datos. • Personal de enfermería: analizar la evolución, realizar controles específicos y actuar en caso de alerta. • Personal médico: evaluar la situación general y adaptar tratamiento según la evolución.
5. Evaluación y mejora del protocolo	• Revisión periódica de los registros para identificar patrones o tendencias. • Reuniones del equipo de atención para mejorar la calidad del seguimiento. • Formación continua del personal en la observación de signos y síntomas.

»» El control

El control de las actividades sanitarias implica asegurarse de que las tareas se realizan de manera correcta y siguiendo los procedimientos establecidos.

Las principales actividades de control se refieren a la *administración de medicamentos*, la *higiene personal* y las *actividades de atención sanitaria*.

› Administración de medicamentos

Es necesario administrar la medicación siguiendo escrupulosamente la pauta prescrita en cuanto a medicamento, dosis, horario y vía de administración.

Todas las administraciones se anotan en una hoja de registro específica, que incluye la información necesaria para una correcta administración. Generalmente se verifica con la hoja de registro que la medicación es la que corresponde en ese momento y, una vez administrada, se marca la casilla correspondiente.

Especialmente cuando hay cambios en la medicación, se debe observar si se producen efectos adversos o si hay cambios en el estado general de la persona.

Fig. 8.1. Los errores en la administración del tratamiento farmacológico pueden tener efectos muy negativos, por lo que es esencial prestar especial atención en cada administración y en su registro.

› Higiene personal

Las tareas de higiene personal se planifican y es necesario realizar un control para verificar que se están realizando correctamente y con la frecuencia establecida. Si se está aplicando el plan de cuidados correctamente y se detectan deficiencias en la higiene será necesario replantear la planificación.

El control se realiza mediante hojas de registro, generalmente semanales, que incluyen las actividades planificadas. Tras realizarlas, se marcan como hechas en la hoja y, si se ha producido alguna incidencia, se hace constar.

Durante la realización de estas tareas es necesario observar el estado de la piel, para detectar precozmente la presencia de úlceras u otras lesiones, que se registran en la sección de incidencias de la hoja de registro o, si se considera urgente, se comunican al personal sanitario mediante el procedimiento que esté establecido.

› Actividades de atención sanitaria

Los cuidados diarios pueden incluir actividades de atención sanitaria, que forman parte del plan de cuidados. Estas actividades se deben realizar siguiendo las pautas establecidas y es necesario registrarlas, a menudo en hojas de registro específicas que facilita el personal sanitario.

Algunas de estas actividades son:

- Cambios posturales para la prevención de úlceras por presión.
- Cuidado de heridas y cuidado de sondas.
- Cuidado de ostomías.
- Ayuda en la realización de ejercicios (de movilidad, respiratorios, etc.).
- Aplicación de frío o calor.

›› El seguimiento

El seguimiento consiste en evaluar la evolución de la persona dependiente a lo largo del tiempo y ajustar el plan de cuidado según sea necesario. Este proceso debe realizarse *mediante reuniones del equipo multidisciplinario y reuniones con la persona y/o su familia.*

› Reuniones del equipo multidisciplinario

En la elaboración del plan de cuidados se planifican la forma y frecuencia con que se evaluará su cumplimento y si está consiguiendo sus objetivos. El personal de enfermería realiza visitas planificadas, generalmente semanales, y revisa las hojas de registro. Si detecta aspectos que no están funcionando correctamente, modifica la planificación o los procedimientos aplicados.

Con una frecuencia menor, que dependerá del estado de salud de la persona, se realiza una valoración por parte del equipo interdisciplinario y se valoran la evolución del estado de salud y el cumplimiento de cada uno de los objetivos previstos en el plan de cuidados. Dependiendo de la situación, se mantiene el plan de cuidados, se introducen modificaciones en él o se replantea la atención que necesita la persona.

› Reuniones con la persona y/o su familia

El seguimiento incluye la valoración de la atención por parte de la persona atendida y/o de su familia. Es necesario conocer su nivel de satisfacción, los aspectos que consideran mejorables, lo que creen que no funciona suficientemente bien, etc.

Esta información se obtiene a partir de los comentarios que puedan realizar en el día a día, pero también de forma sistematizada mediante reuniones periódicas en que se pide su opinión sobre el servicio.

Fig. 8.2. Las entrevistas planificadas proporcionan información sobre el nivel de satisfacción de la persona y su familia. También es importante escuchar sus opiniones en el día a día.

 ## Actividades   **Mapa de burbuja**

1. Argumenta la importancia del control y seguimiento de la evolución física y sanitaria de personas en situación de dependencia.

2. Explica en qué consisten la observación, el control y el seguimiento.

3. Elabora un **mapa de burbuja** que muestre las características que deben reunir los protocolos de observación, control y seguimiento.

4. Valora qué se deberá observar durante la atención a una persona en situación de dependencia, de avanzada edad y que debe permanecer encamada. Diseña una hoja de registro que permita anotar las observaciones.

8.2. La obtención y el registro de la información

El plan de cuidados prevé las actividades de atención sanitaria que se deben realizar y cómo se realizará el registro.

8.2.1. Las hojas de registro y el registro informatizado

Tarea 2
Las hojas de registro de las actividades de atención sanitaria

El registro puede limitarse a marcar que se ha realizado una actividad, o bien requerir la anotación de valores o datos. Y puede hacerse forma manual, mediante *hojas de registro*, o utilizando un *registro informatizado*.

>> Las hojas de registro

Las hojas de registro suelen ser tablas que incluyen la lista de actividades y espacios para escribir junto a cada una. Se pueden usar *hojas de registro generales* o bien *hojas de registro específicas*. Todas ellas incluyen un apartado de incidencias, en el cual se anotan aspectos que pueden ser de interés.

- **Hojas de registro generales**. Son hojas diarias o semanales, que recogen las distintas actividades que es necesario realizar. Habitualmente solo es necesario marcar la actividad planificada como realizada y, si es necesario, anotar las incidencias que se puedan haber producido. El Documento 8.2 muestra un modelo de este tipo de hojas de registro.

- **Hojas específicas de registro**. Algunos controles requieren anotar datos e información más detallada, como los controles de medicación, diabetes, úlceras por presión, signos vitales, etc. A lo largo de las unidades anteriores hemos visto algunos ejemplos de este tipo de hojas. Estas hojas suele facilitarlas el personal sanitario, que informa sobre la forma de cumplimentarlas.

Documento 8.2.
Modelo de hoja de registro semanal

Persona usuaria: _____   **N.º de expediente:** _____

Domicilio: _____   **Profesional:** _____

Actividades de higiene	Horas							Observaciones
	Lun.	Mar.	Mié.	Jue.	Vie.	Sáb.	Dom.	
Levantar								
Aseo personal								
Baño/ducha								
Lavado de cabeza								
Vestir								
Higiene bucal								
Arreglo de uñas								
Lavado de manos								
Cuidado de pies								
...								

Observaciones (incidencias):

»» El registro informatizado

Los registros, tanto generales como específicos, se pueden realizar utilizando aplicaciones o *software* de gestión de cuidados. Este sistema facilita el registro y la comunicación entre los profesionales y la familia.

La anotación se realiza en un ordenador, tableta o *smartphone*. Aunque el procedimiento es distinto, la información que se debe registrar es la misma que en los registros manuales. El uso de registros informatizados proporciona una serie de ventajas frente a los registros manuales. Las más destacadas son:

- **Mejora en la calidad de la atención**:
  - **Acceso rápido a la información**, que permite al personal autorizado consultar en tiempo real el plan de cuidados y los registros realizados.
  - **Reducción de errores** relacionados con la duplicación o pérdida de registros, datos incompletos o anotaciones ilegibles.

- **Facilita la coordinación entre profesionales**:
  - **Trabajo en equipo más eficaz**, ya que los diferentes profesionales implicados en la atención pueden acceder a la misma información y actualizarla de forma simultánea.
  - **Comunicación fluida**, ya que la información y los avisos se comparten de forma inmediata.

- **Seguimiento y evaluación del plan de atención**:
  - **Monitoreo constante**, que permite un seguimiento detallado del estado de salud y de la evolución de los tratamientos y cuidados.
  - **Toma de decisiones basada en datos**. Se dispone de información clara y precisa, lo cual facilita la toma de decisiones clínicas y sociales.

- **Mayor eficiencia administrativa**:
  - **Ahorro de tiempo**, porque se reducen las tareas repetitivas y manuales. Los datos se introducen una sola vez en el sistema y ya quedan disponibles.
  - **Obtención de informes y estadísticas**, que facilitan la valoración del proceso de atención. El registro electrónico permite generar automáticamente estos tipos de documentos.

- **Seguridad y confidencialidad**:
  - **Protección de datos**. Los sistemas informatizados tienen medidas de seguridad que garantizan la confidencialidad de la información.
  - **Registro de accesos**. Se puede controlar quién accede a la información y cuándo lo hace, lo que mejora la trazabilidad.

Además, los registros informatizados permiten realizar estudios sobre el proceso de atención a diversas personas. El sistema informático permite recopilar información de distintos casos y gestionarla y estudiarla para poder aplicar los resultados obtenidos a nuevos casos.

Por ejemplo, se puede estudiar si una determinada terapia resulta efectiva o no para distintas personas con características similares, y tenerlo en cuenta para decidir si esa terapia se aplica o no a un nuevo caso. En estos estudios se recopila la información de interés (edad, sexo, patologías, etc.) pero no se incluye información personal (nombre, DNI, etc.).

Fig. 8.3. Los registros informatizados aportan muchas ventajas frente a los registros manuales.

8.2.2. Los datos personales

Los documentos y registros que se utilizan en la APSD incluyen datos personales, por lo que se deben tratar aplicando las pautas indicadas en la Ley de Protección de Datos Personales y garantía de derechos digitales.

El sistema de registro, sea manual o informatizado, debe garantizar que solo el personal autorizado tenga acceso a los datos personales, y solo a aquellos datos que requiera para desarrollar su trabajo.

Como hemos explicado, los registros informatizados se usan en ocasiones para realizar estudios que incluyen a diversas personas usuarias, pero sin incluir sus datos personales. El proceso que se lleva a cabo se denomina anonimización, que consiste en archivar la información relevante relacionada con el estudio, pero suprimiendo los datos personales que puedan permitir la identificación de las personas participantes.

Actividades

Mapa mental

5. Trabajas en un centro residencial y olvidas marcar una administración en la hoja de registro de la medicación de una persona usuaria. ¿Qué consecuencias puede tener este descuido?

6. En parejas, discutid las ventajas e inconvenientes de un registro informatizado frente a un registro manual. Expone las conclusiones en un **mapa mental**.

8.3. La comunicación

Tarea 4
La gestión y transmisión de la información

La APSD implica a personal de distintas disciplinas, así como a la persona atendida y a su familia. Para garantizar un servicio correcto es esencial que exista una comunicación eficaz y fluida entre todas ellas.

8.3.1. Comunicación con la persona y su familia

La comunicación con la persona usuaria y con su familia se realiza de forma continuada, pero además es necesario establecer un protocolo de comunicación sistematizado, que debe indicar cómo y cuándo comunicar ciertos aspectos del cuidado y de la evolución. Se suelen combinar comunicaciones escritas, como un informe semanal o mensual, con comunicaciones orales, en reuniones periódicas.

Las plataformas digitales y aplicaciones específicas para la gestión del cuidado permiten a la familia seguir de cerca la evolución y estar en contacto con el equipo de atención.

>> La comunicación con la familia

La comunicación con la familia se realiza en el día a día, y mediante entrevistas planificadas, en las cuales se suele usar un cuestionario para obtener la información de forma sistematizada. La comunicación con la familia es esencial, ya que:

● La familia juega un papel esencial en la planificación de los cuidados, aportando información sobre las necesidades, preferencias y hábitos de la persona usuaria, y también en su ejecución, haciéndose cargo de ciertos cuidados.

Es necesario que, al menos la persona que ejercerá de cuidadora de referencia, conozca el plan de cuidados, los procedimientos básicos que debe aplicar al llevar a cabo las distintas tareas, así como las precauciones y medidas de seguridad que ha de aplicar.

- Una buena comunicación permite que la familia se sienta acompañada y reduce su carga emocional y el estrés asociado al cuidado.

- Informar a la familia de manera regular sobre la evolución de la persona atendida genera un entorno de confianza, mejorando la relación entre el personal implicado en los cuidados y la familia.

Por todo ello, es importante planificar correctamente la comunicación y llevarla cabo prestando atención para asegurar que las personas implicadas comprendan debidamente aquello que se les explica: no utilizar vocabulario técnico innecesariamente, ir haciendo resúmenes o recapitulaciones para asegurarse de que van comprendiendo correctamente, dedicar el tiempo necesario, etc.

>> La comunicación con la persona usuaria

La comunicación con la persona atendida tiene una serie de objetivos esenciales:

- Transmitirle de forma clara y precisa información sobre su estado de salud y sobre las actividades de atención planificadas.

- Promover su participación activa en la toma de decisiones que afectan a su vida y en las actividades de autocuidado.

- Promover su participación, en la medida en que pueda, en el desarrollo de las distintas actividades planificadas.

- Fomentar un ambiente de confianza y seguridad, que le permita expresar sus necesidades, inquietudes y emociones.

- Reducir el aislamiento y la soledad, proporcionando apoyo emocional y compañía.

8.3.2. Comunicación con el equipo interdisciplinario

El plan de cuidados prevé reuniones periódicas del equipo interdisciplinario que atiende a la persona en situación de dependencia, orientadas a poner en común los resultados, dificultades o propuestas que tenga cada profesional.

En estas reuniones se revisa el plan de cuidados y su cumplimiento, y se valora si es necesario introducir modificaciones en él.

En el caso de la atención sanitaria, el personal que realiza un seguimiento más continuo es el personal de enfermería, que revisa los registros relativos a actividades sanitarias, proporciona indicaciones al personal técnico en APSD y visita a la persona atendida.

El personal técnico debe disponer de una vía de contacto que permita que, en caso de dudas o dificultades, puedan consultar con personal de enfermería cómo actuar.

Actividades

Mapa mental

7. Durante el trabajo del personal técnico en APSD se cumplimentan diversos registros. Elabora un **mapa mental** que muestre el destino de estos registros y los efectos que tendrán sobre los cuidados a la persona usuaria, dependiendo de si los datos que contienen indican que se están cumpliendo los objetivos del plan de cuidados o si, por el contrario, que no se están cumpliendo.

8. En una atención domiciliaria debes tomar la tensión a la persona diariamente. Valora cómo comunicarás los resultados, dependiendo de si están dentro de la normalidad o si obtienes un resultado anómalo.

RETO 8.1
El registro de las actividades de atención sanitaria

Tarea final: Elaboración de un mapa mental sobre los procesos de recogida y transmisión de información asociada a las actividades de atención sanitaria.

¿Qué sabes ahora de...?

Reflexiona y valora tus conocimientos respecto a cada una de las siguientes cuestiones:

- ¿Sabes qué se suele observar durante la atención a una persona en situación de dependencia?
- ¿Sabes qué características deben tener los protocolos de observación, control y seguimiento?
- ¿Sabes qué ventajas tienen los registros informáticos frente a los manuales?
- ¿Sabes por qué es importante la comunicación con la familia de la persona atendida?

 Ni idea

 Me suena

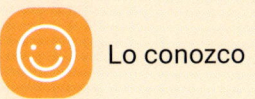 Lo conozco

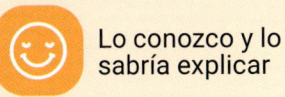 Lo conozco y lo sabría explicar